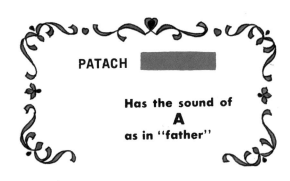

PATACH

Has the sound of
A
as in "father"

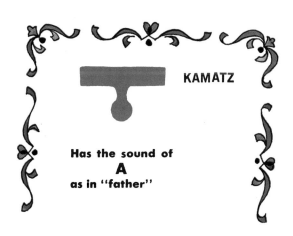

KAMATZ

Has the sound of
A
as in "father"

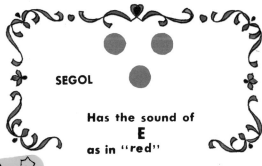

SEGOL

Has the sound of
E
as in "red"

S0-AHH-103

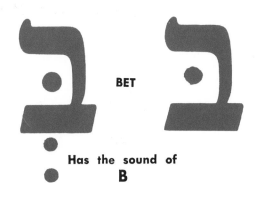

בּ BET בְּ

Has the sound of
B

PHONIC READING

1. בַּ בַּ   בָּ בָּ   בֶּ בֶּ

2. בַּ בֶּ   בָּ בֶּ   בַּ בָּ

3. בַּ בַּ   בֶּ בֶּ   בָּ בָּ

4. בַּ בָּ   בָּ בֶּ   בֶּ בָּ

בָּ בָּ   בָּ בַּ

Revised Edition

לְשׁוֹנִי

א

שַׁעַר הַקְרִיאָה

WITH DICTIONARY SUPPLEMENT

by SOL SCHARFSTEIN

Audio-lingual exercises by
PAUL WEISS

illustrations by
URI SHULEVITZ

color illustrations by
LASZLO MATULAY

KTAV PUBLISHING HOUSE, INC.

Design and Art Supervision by EZEKIEL SCHLOSS

L'shonee – pArt 1

© COPYRIGHT 1956, 1961, 1971, 1976

KTAV PUBLISHING HOUSE, INC.

AN AUDIO-LINGUAL TEXT
(with cassette tapes)

SBN 87068-526-0

REG

Printed in Hong Kong

VET ב	BET בּ
Has the sound of **V**	Has the sound of **B**

look-alikes

PHONIC READING

1. בַ בַ   בָ בָ   בֶ בֶ
2. בַ בָ   בָ בֶ   בֶ בַ
3. בָּ בָ   בַּ בֶ   בַ בָּ
4. בָּ בַ   בַ בֶּ   בֶּ בֶ
5. בַ בָ   בַּ בֶ   בַ בָּ

א

ALEF

Silent letter

PHONIC READING

1. אָ אַ אֶ אַ אָ

2. אַבָּ בַּבָּ בֶּבָּ אֶבָ אַאָ

3. בַּבַּ בָּבַ אַבַ בֶאַ אֶבַ

4. אַבֶּ בַּבֶ בֶּבֶ בָאֶ אָבָּ

5. אָב בָא אַבָּ בָא אָב

6. אַבָּא בָּא אָב בָּא בָא

7. אַבָּ בַּבָּ בֶּבָּ אֶבָ אַאָ

8. אָבַּ בָּבַ אַבַ בֶאַ אֶבַ

אַבָּא

father (m.)   אַבָּא
(he) is coming (m.)   בָּא

אַבָּא בָּא.

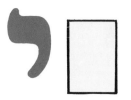

YUD
CHEEREK

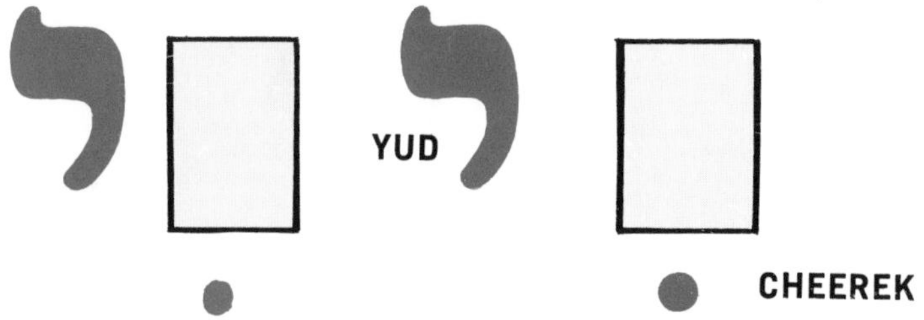

Has the sound of
EE
as in "feet"

Has the sound of
I
as in "big"

PHONIC READING

1. אָ אַ אֶ אִ אִי

2. בִ בִי בִּ בַּ בִּי

3. אִי אַ בִּי בַּ אִי בִּי

4. אִ בֶּ בִּי אֶ בִּי אִ בִּי

5. אָ אָ בִ בִי בִי אָבִי

6. אָב אָבִי אַבָּא בָּא אִבִּי

7. אָבִי אַבָּא בָּא אָבִי בָּא

8. אָבִי אָבִיא

מ מ

MEM

Has the sound of M

ְ

This is the vowel shvah. This vowel has no sound

PHONIC READING

1. מָ מַ מֶ מִ מִי

2. אָ אַ אֶ אִ אִי

3. אָבִי אִמִי אִמָא אַבָּא

4. אַמָ אָמָ בַּמָ בַּמֶ בִּימָ

5. בָּא אִבִּי אָבִי אִמִי אַבָּא

6. אִמָא אַבָּא אִמָא אָבִי

7. אִמִי אַבָּא בָּא אַבָּא בָּא

8. אִמִי אָבִי אִמָא אַבָּא

חֲזָרָה REVIEW

1. בֶּב בִּי אָב אַבּ

2. אַבָּא אָבִי בָא בִּיב אַב

3. אָבִיב בָא אָבִי בָּא בִיב

4. אָבִי מִי אִמִי מִמִי בִּמִי

5. בִּימָ בַּמָ אָבָּא אִמָא אִמִי

6. מִי בָא אַבָּא בָּא אָבִיב

7. מִי בָּא אִמָא בָּאָ מִימָ

8. בְּאִמָא בְּאַבָּא בִּימָא אִמָא

9. אִמָא אַבָּא בָא בָּאָ מָא

10. אָבִי בָּא אִמִי בָּאָ אָבִיב

11. אִמִי אָבִי אָבִיב בִּיבָּא

אַבָּא בָּא

מִי? who?

מִי בָּא?

אַבָּא בָּא.

11

At the end of a word

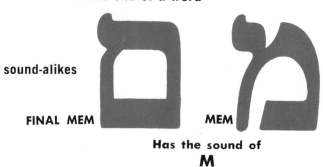

sound-alikes

ם מ

FINAL MEM MEM

Has the sound of

M

PHONIC READING

1. מָ מַ מֶ מִ מִי

2. מָ מָם מִי מִים

3. מָם מֶם מִם מַם

4. מָם מַם מֶם מִים

5. בָּא בָּם בָא בָם בִּי

6. בָּמָ בַּמָ בַּמֶ בָּא בָא

7. אָמָ אַמָ בָּמָ בַּמֶ בִּימָ

ה

HAY

Has the sound of
H
as in "hat"

PHONIC READING

1. הָ הִ הֶ הַ הִי

2. אָ אַ אֶ אִ אִי

3. מַה מָה מֶה מִי בַּמֶה

4. בָּם בָם בַּם בִּים בִים

5. מַה מַה מָה מָה מֶה

6. הָבָה הָמָה בָּהֶם הָאָב

7. אַבָּא אִמָא בָּאָה בָּאָה

8. הָבָה הָמָה הַהִיא הַאִם

אִמָּא

mother (f.)   אִמָּא

(she) is coming (f.)   בָּאָה

אִמָּא בָּאָה.

ל

LAMED

Has the sound of L

PHONIC READING

1. לָ לַ לֶ לִ לִי
2. אָבִי לָבִיא לְאָבִי אַבָּא
3. לָמָה לָבִיא לַבָּא הַבָּא
4. בַּל בָּלַל בָּבֶל לִבִּי לִבָּה
5. מִלָּה לִבָּה לַהַב לָבִיא
6. לָמָה לָאָב לְאַבָּא לְאִמָּא
7. אַל בַּל בְּלִי מָל לְמִי לְאָבִי
8. מִלָּה אָלָה לָאָה.

אַבָּא – אִמָּא

לֵאָה: אַבָּא! אַבָּא!
מִי בָּא?

אַבָּא: אִמָּא, אִמָּא בָּאָה.

לֵאָה: אִמָּא! אִמָּא!
מִי בָּא?

אִמָּא: אַבָּא, אַבָּא בָּא.

16

חֲזָרָה REVIEW

1. לָמָה לְמַה בַּמֶה הָבָה
2. אֶם בֶּם בֶם מֶם אִבִּים
3. אַם בָּאָ אִמָא בָאָ בָּם
4. הִיא הַהִיא מִי הִים אִים
5. אָבִי בָּא אִמִי בָּאָ בָּאָבִיב
6. מִי בָּא אַבָּא בָא הִם הִים
7. הָבָה הָמָה בָּהֶם מִמָם מִים
8. הָבָה הַמַה בַּמָה מִמַה
9. לָמָה הָבָא מִלָה בִּלָה
10. לִבִּי אָבִי מִמִי הָבִיא אִמִי
11. הָבָה מִילָה בָּבֶל

וֹ

CHOLOM

*

Has the sound of
AW

PHONIC READING

1. בּוֹ בוֹ אוֹ הוֹ לוֹ מוֹ

2. בֹּ בֹ אֹ הֹ לֹ מֹ

3. בּוֹאָה בּוֹאִי הוֹמֶה הוֹמָה

4. אוֹב אָהֹב אָבֹה בָּלֹם הָלֹם

5. אָלֹה לֹא בַּל בְּלִי לִבִּי

6. בִּלָה לִבָּה אֹהֶל אָלֹה

7. בָּלֹה בָּלָה הָמָה לָמָה

8. לָמוֹ לְמַה בַּמֶּה הָבָה

**The Sfardi CHOLOM has several pronunciations due to regional differences and special speech patterns. The most common sound is "AW". However in normal speech you can detect the "O" sound and various subtle tonal shades.*

אִמָּא בָּאָה

no, is not, isn't   לֹא

אַבָּא בָּא ?
לֹא, לֹא, לֹא.
אַבָּא לֹא בָּא.
אִמָּא בָּאָה.

19

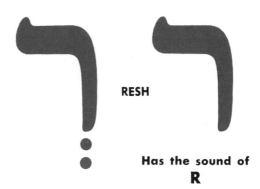

רְ ר

RESH

Has the sound of
R

PHONIC READING

1. רָ רַ רֶ רִי רוֹ
2. בָּ בַ מִי הִי לוֹ
3. רֹב רוֹבֶה אוֹב אוֹבֶה
4. מוֹרֶה רַבִּי רַבִּים רַבָּה
5. רַבָּם רָם בָּרָא בָּרָה
6. רָב רָבָה רָבִי מַר מוֹר
7. מוֹרֶה רוֹבֶה אוֹבֶה רִיב
8. רִיבָה רִמָה רִבָּה רָאָה רָמָה

הַמּוֹרֶה

teacher (m.)	מוֹרֶה
the	הַ –
the teacher	הַמּוֹרֶה

מִי בָּא ?

אַבָּא בָּא ?

לֹא, לֹא, לֹא.

אַבָּא לֹא בָּא.

הַמּוֹרֶה בָּא.

תּ ת

TAV — Has the sound of T

TAV — Has the sound of T

1. תָ תַ תֶ תִ תוֹ

2. תָּ תַּ תֶּ תִּ תּוֹ

3. הָ הַ הֶ הִ הוֹ

4. לָ לַ לֶ לִ לוֹ

5. תּוֹר תָּם תַּמָה תּוֹרָה

6. אוֹת אוֹתִי מוֹת מוֹתִי

7. בִּתִּי בִּתּוֹ תּוֹרָה מוֹרָה

מִי בָּא?

מוֹרֶה! מוֹרֶה!

מִי בָּא? מִי בָּא?

אַבָּא בָּא.

אִמָּא בָּאָה.

23

חֲזָרָה REVIEW

1. אַל בָּבֶל בְּלִי לְמִי בִּי
2. בָּאִים לוֹאִים אֱלֹהִים הָם
3. לָהֶם בָּהֶם מִים בַּמִיל
4. בָּם אֹהֶל אַם בָּלַל אַהֲבָה
5. לֹא אֱלֹהִים מִים אָבִיב
6. רַבִּים מוֹרִים הוֹרִים רִיבִים
7. אֱלֹהִים אָמַר רְאִי רָב אִירָא
8. רָבָה רַבָּה בָּרָה אִמָא לָמָה
9. מוֹרָה רָמָה בַּר רַבִּי רִיבִי
10. אֱלֹהִים רָאָה אַבְרָהָם בָּאֹהֶל
11. תּוֹרָה אוֹרָה מוֹרָה תְּהִלָה

אַבָּא בָּא

teacher (f.)   מוֹרָה

רָמִי: מוֹרָה! מוֹרָה!
מִי בָּא?

מוֹרָה: אַבָּא בָּא, אִמָּא בָּאָה.

רָמִי: לֹא! לֹא! לֹא!
אִמָּא לֹא בָּאָה,
אַבָּא בָּא.

25

י YUD

ַי

Has the sound of
I
as in "tie"

Has the sound of
Y
as in "yes"

PHONIC READING

1. יָ יַ יֶ יִ יוֹ

2. יָם יַם יוֹם יוֹמִי יַמוֹ יוֹמוֹ

3. אוֹרַי הוֹרַי מוֹרַי מָתַי

4. רוֹאַי יוֹאֶל יוֹרֶה יוֹתִיר

5. יָאִיר יָתֶל אַיִל בַיִת

6. מַיִם הַיָם בַיִת הַיוֹם

7. הָאָב הַמוֹרֶה תוֹרָה

8. תוֹרָה אוֹרָה הָאוֹרָה מוֹרָה

בַּבַּיִת

house (m.)	בַּיִת
in the	– בַּ
in the house	בַּבַּיִת

מִי בַּבַּיִת?

הַמּוֹרֶה בַּבַּיִת?

לֹא, לֹא, לֹא.

הַמּוֹרֶה לֹא בַּבַּיִת.

אַבָּא בַּבַּיִת.

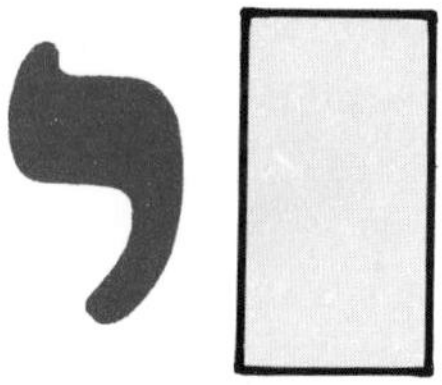

* TZAREH

Has the sound of **A** as in "play"

Has the sound of **E** as in "red"

PHONIC READING

1. בֵּ בֵ אֵ הֵ לֵ מֵ

2. רֵ תֵּ תֵ יֵ בֵּ בֵ

3. בֵּי אֵי מֵי הֵי תֵּי תֵי

4. רֵיאָה בֵּיתָה בֵּיתִי אֵלִי

5. מֵימִי לֵילִי אֵלִי הֵמָה

6. לֵאָה מֵאָה אוֹהֵב אוֹיֵב

7. בּוֹרֵר בּוֹרֵא הוֹלֵם יוֹתָם

8. יוֹרָם יוֹבָב יוֹאָב מֹהֵר

1. אַיֵם בַּיִת תַּיָר מַהֵר

2. יָאִיר אַיִל בַּיִת תַּיִל

3. לַיִל מַיִם בַּיִת הַיּוֹם

4. מוֹרָתִי תַּמָה תַּמָתִי בַּיִת

5. הַבַּיִת בַּבַּיִת לַבַּיִת בַּיְתָה

6. אַיֵה הַבַּיִת בַּיִת הַבַּיִת

7. רֵיאָה בֵּיתָה בֵּיתִי אֵילִי

8. מֵימִי לֵילִי אֵלִי הֵמָה

9. לֵאָה מֵאָה אוֹהֵב אוֹיֵב

10. בּוֹרֵר בּוֹרֵא הוֹלֵם יוֹתָם

**The Sfardi TZAREH has several pronunciations due to regional differences and speech patterns. The most common sound is "E" as red. However, in normal speech you can detect the "A" sound and several tonal shades in between.*

אַיֵה ?

אַיֵה ?   where is, where?

אַיֵה אִמָּא ?

אִמָּא בַּבַּיִת.

אַיֵה אַבָּא ?

אַבָּא בַּבַּיִת.

אַיֵה הַמּוֹרֶה ?

הַמּוֹרֶה לֹא בַּבַּיִת.

look-alikes

שׂ
SEEN

Has the sound of
S

שׁ
SHEEN

Has the sound of
SH

PHONIC READING

1. שָׁ שִׁ שֶׁ שֵׁ שִׁ שׁוֹ

2. שָׂ שִׂ שֶׂ שֵׂ שִׂ שׂוֹ

3. תָ תִ תֶ תֵ תִ תוֹ

4. שָׁר שָׂר שָׁם שָׂם שִׁשִׁי

5. שִׁישִׁי שָׁמָה שָׁבָה שֵׁיבָה

6. שִׁיר שִׁירִי שִׁירִים שָׁרִים

7. שָׁרַי שַׁיִשׁ שַׁיִת לַיִשׁ תַּיִשׁ

8. שַׁבָּת שֶׁל אָשֵׁר אַשֵׁר

1. שֹׁשִׁי בָּשָׂר יָשָׁר מָשָׁה

2. מָשָׁה מָשָׁל שֶׁל אֵשֶׁל

3. שָׁבָה שֵׁיבָה שָׁרִי שִׁירִים

4. שִׁיר שִׁירִי שִׁישִׁי שָׁמָה

5. מוֹר שׁוֹר אוֹר תּוֹר

6. אַל בָּבֶל בְּלִי לְמִי בִּי

7. בָּאִים לוֹאִים אֱלֹהִים הָם

8. לָהֶם בָּהֶם מִים בַּמִיל

9. שָׁר שָׂר שֹׁם שָׁם שֹׁשִׁי

10. שִׁישִׁי שָׁמָה שָׁבָה שֵׁיבָה

11. שִׁיר שִׁירִי שִׁירִים שָׁרִים

12. שָׂרַי שַׁיִשׁ שַׁיִת לַיִשׁ תַּיִשׁ

אֹשֶׁר מֹשֶׁה

חֲזָרָה REVIEW

1. מוֹרָה מָרוֹר תּוֹרָה שָׁבָר
2. לַיִל אַיִל הָיָה יִהְיֶה יוֹם
3. יָאִיר יוֹרֶה תּוֹרָה הָאוֹרָה
4. בַּיִת בָּבָא מַיִם יוֹרֶה הַיּוֹם
5. תָּרַם אוֹרָה יוֹאָב יִהְיֶה
6. תּוֹרָתָם לְאוֹת אֶת תְּהִלַּת
7. בְּאֵימָה הָלְאָה אֵימָתוֹ
8. אֵלֶה אֲלֵיהֶם לָתֵת מְהֵרָה
9. אֵל אֱלֹהִים אֱמֶת תְּהִלַּת
10. לָהֶם אוֹתָם בָּהָר תּוֹרָתָם
11. הַיּוֹם יוֹמָם מַהֵר מְהֵרָה

1. שָׁם שִׁים בָּשָׁר שָׁבָה שַׁר

2. שָׁבָה מֹשֶׁה הַשֵׁם שִׁשָׁה

3. אַשֶׁר אשֶׁר אַשְׁרֵי יוֹשְׁבֵי

4. מִשָׁם שִׁשָׁה מֹשֶׁה שׁוֹמֵר

5. יִשְׁרָאֵל שָׁמַיִם מָשָׁל שֵׁשׁ

6. מָשָׁה מָשָׁל שֶׁל אֵשֶׁל

7. שָׁבָה שֵׁיבָה שָׁרִי שִׁירִים

8. שַׁבָּת שֶׁל אָשֵׁר אַשֵׁר

9. אשֶׁר בָּשָׁר יָשָׁר מֹשֶׁה

10. שִׁיר שִׁירִי שִׁירִים שָׁרִים

11. שָׁרַי שַׁיִשׁ שַׁיִת לַיִשׁ תַּיִשׁ

מַה הַשֵּׁם ?

what?	מַה?
name (m.)	שֵׁם
the name	הַשֵּׁם

מֵאִיר: מִירָה, אַיֵּה אִמָּא?

מִירָה: אִמָּא בַּבַּיִת.

מֵאִיר: מַה שֵׁם אִמָּא?

מִירָה: שֵׁם אִמָּא – שָׂרָה.

מֵאִיר: מִירָה, אַיֵּה אַבָּא?

מִירָה: אַבָּא בַּבַּיִת.

מֵאִיר: מַה שֵׁם אַבָּא?

מִירָה: שֵׁם אַבָּא – הִלֵּל.

מֵאִיר: מִירָה, אַיֵּה הַמּוֹרֶה?

מִירָה: הַמּוֹרֶה בַּבַּיִת.

מֵאִיר: מַה שֵׁם הַמּוֹרֶה?

מִירָה: שֵׁם הַמּוֹרֶה – אָשֵׁר

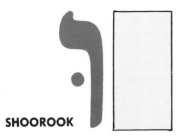

וּ SHOOROOK — Has the sound **OO** as in "moon"

look-alikes

וֹ CHOLOM — Has the sound of AW

PHONIC READING

1. בּוֹ בוֹ אוֹ לוֹ מוֹ

2. הוֹ תּוֹ יוֹ שׁוֹ שׂוֹ

3. בּוּ בוּ רוּ לוּ מוּ

4. הוּ תּוּ תוּ יוּ שׁוּ שׂוּ

5. בּוֹר בּוּר תּוֹר תּוּר שׁוֹר

6. שׁוּר בּוֹשׁ בּוּשָׁה לוּשָׁה

7. לוּשִׁי בּוּשִׁי לֹא לוֹ לוּ

8. בּוּל מוּל שׁוּר שׁוּם

שָׁלוֹם

peace; hello, goodbye	שָׁלוֹם
Sabbath (f.)	שַׁבָּת
Good Sabbath	שַׁבַּת שָׁלוֹם

רָמִי: שָׁלוֹם, אִמָּא! שַׁבַּת שָׁלוֹם!

אִמָּא: שַׁבַּת שָׁלוֹם, רָמִי!

רָמִי: אִמָּא! אַיֵּה אַבָּא?

אִמָּא: בַּבַּיִת, אַבָּא בַּבַּיִת.

רָמִי: שָׁלוֹם, אִמָּא! שַׁבַּת שָׁלוֹם!

אִמָּא: שַׁבַּת שָׁלוֹם, רָמִי!
שַׁבַּת שָׁלוֹם!

sound-alikes
Has the sound of
OO
as in "moon"
KOOBOOTZ
Has the sound of
OO
as in "moon"
SHOOROOK

PHONIC READING

1. בּוּ בוּ אוּ רוּ לוּ מוּ

2. תוּ הוּ תוּ שׁוּ שׂוּ

3. בֻּ בֻ אֻ רֻ לֻ מֻ

4. הֻ תֻּ תֻ יֻ שֻׁ שֻׂ

5. בֻּבָּה רֻבָּה אֻמָה שׁוּמָה

6. תֻּמָה אוּרִי שׁוּרִי שׁוּרָה

7. שׁוּרוֹת שֵׁרוּת אוּלָם מוּלָם

1. שֶׁלַם שָׁלוֹם רֶבָּם רַבִּים

2. בָּאוּ רָאוּ רָבוּ שָׁמוּ הָמוּ

3. תַּמוּ רָבוּ שָׁבוּ שָׁרוּ

4. שָׁתוּ שָׁהוּ הוּא הִיא

5. שָׁר שָׁר שָׁם שִׁשִׁי

6. שִׁישִׁי שָׁמָה שָׁבָה שֵׁיבָה

7. שׁוּם מָשׁוּל בָּשׁוּל בָּרוּר

8. בְּשׁוֹרָה שׁוּרָה בַּשׁוּרָה שׁוּרוּ

9. שַׁבָּת שָׁלוֹם.

ד ךְ

DALED

Has the sound of
D

PHONIC READING

1. דַ דָ דֶ דִ דִי דֵ
2. דֵי דוֹ דֹ דוּ דֻ
3. דַל דַם דַת דָשׁ דָר
4. דִמָה דוּמָה דוֹדָה
5. דוֹדָתִי מוֹדֶה מוֹרֶה מוֹדָה
6. מוֹרָה תּוֹדָה תּוֹרָה דוֹר
7. מוֹר שׁוֹר אוֹר תּוֹר
8. דְרוֹר מָרוֹר דָבֹר דָבָר

1. אַל בָּבֶל בְּלִי לְמִי בִּי

2. בָּאִים לוֹאִים אֱלֹהִים הָם

3. לָהֶם בָּהֶם מִים בַּמִּיל

4. שָׁר שָׁר שָׁם שִׁשִׁי

5. שִׁישִׁי שָׁמָה שָׁבָה שֵׁיבָה

6. שִׁיר שִׁירִי שִׁירִים שָׁרִים

7. שָׁרַי שִׁישׁ שַׁיִת לַיִשׁ תַּיִשׁ

8. אֵל אֱלֹהִים אֱמֶת תְּהִלַּת

9. לָהֶם אוֹתָם בָּהָר תּוֹרָתָם

10. הַיּוֹם יוֹמָם מַהֵר מְהֵרָה

שַׁבַּת שָׁלוֹם

שַׁבַּת בַּבַּיִת.

אַבָּא בַּבַּיִת.

שַׁבַּת שָׁלוֹם, אַבָּא!

אִמָּא בַּבַּיִת.

שַׁבַּת שָׁלוֹם, אִמָּא!

אוּרִי בַּבַּיִת.

שָׁלוֹם, אוּרִי!

רִיבָה בַּבַּיִת.

חֲזָרָה REVIEW

1. יְבוּלָה תְּשׁוּבָה הַהוּא הַלְלוּ
2. יִרְבּוּ יְשַׁבֵּרוּ יִשְׂרָאֵל תְּהִלּוֹת
3. אוּמָה רָשׁוּ יִרְאוּ בּוֹשֵׁשׁ
4. תּוֹרַת אֱמֶת בְּרֵאשִׁית בָּרָא
5. אֱלֹהִים בְּרִיאַת שָׁלוֹם הָיוּ
6. שְׁאַל אֶת רוֹאֵי יִשְׂרָאֵל
7. אַבְרָם מְהֻלָּל שָׁם רֵאשִׁית
8. הָאֵלוּ הַיּוֹם הָיוּ בָּם
9. הָיָה אִם הִשָּׁמְרוּ לָהֶם
10. בָּאֵלִם אִירָא הֱיֵה לֹא יָרִים
11. אֱלֹהֵי בּוֹאוּ מְהֻלָּל הֵמָּה

1. לוֹמְדֵי מְלֻמָד מוֹדֶה דָבָר

2. בִּדְבָרוֹ לְדֹרֹתָם אֲדְמָתוֹ

3. תּוֹרָה מוֹדֶה דוֹדָה דְבוֹרָה

4. מִדָה בֶּכָּה דוֹדִים יָדַיִם

5. דְבָרַי דְבָרִים מוֹדֶה אֲדָמָה

6. שָׁבָר דוֹד לוֹד אוֹד

7. רֵד שֵׁד שֵׁם שֵׁמוֹת

8. הֵמָה שָׁם שָׁמָה יֶלֶד יַלְדָה

9. הָאֵלּוּ הַיּוֹם הָיוּ בָּם

10. הָיָה אִם הִשָּׁמְרוּ לָהֶם

11. בָּאֵלִים אִירָא הֱיֵה לֹא יָרִים

אוּרִי - רִבָה

boy (m.)	יֶלֶד
girl (f.)	יַלְדָּה

אַבָּא: הֶלוֹ, אִמָּא!

אִמָּא! מִי בַּבַּיִת?

אִמָּא: יֶלֶד בַּבַּיִת. יַלְדָּה בַּבַּיִת.

אַבָּא: מַה שֵׁם הַיֶּלֶד?

אִמָּא: שֵׁם הַיֶּלֶד – אוּרִי.

אַבָּא: מַה שֵׁם הַיַּלְדָּה?

אִמָּא: שֵׁם הַיַּלְדָּה – רִבָה.

אַבָּא: אִמָּא! אַיֵּה אוּרִי? אַיֵּה רִבָה?

אִמָּא: אוּרִי בַּבַּיִת,

רִבָה בַּבַּיִת.

אַבָּא: שָׁלוֹם, אוּרִי!

שָׁלוֹם, רִבָה!

אוּרִי–רִבָה: שָׁלוֹם, אַבָּא!

שָׁלוֹם!

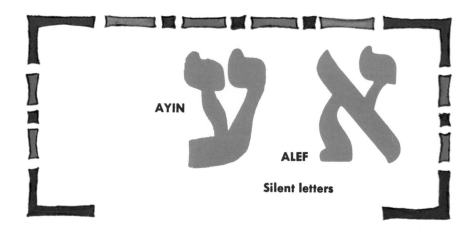

א ע

AYIN

ALEF

Silent letters

PHONIC READING

1. אָ אַ אֶ אִ אִי

2. אוֹ אוּ אֻ אֵ אֵי

3. עָ עַ עֶ עִ עִי

4. עוֹ עוּ עֻ עֵ עֵי.

5. אָבִי אִמִּי בָּאוּ אָבוּ עָשׂוּ

6. עָם עַמִּי עִתִּי עָב עָבוֹת

7. אָבָדוּ עָמוּ רָעָשׁוּ שָׁאָלוּ

1. בַּעַל מַעַל יַעַל רַעַל

2. אַעַל שַׁעַל שָׁאַל שָׁאַב

3. הוֹאֶל יוֹאֵל יָעֵל

4. אֱלַי עַל עָלַי עַד עָדַי

5. רַעַד רָעַד מָעַד יָעַד

6. עֵבֶר עִבְרִי עִבְרִיָּה עִבְרִית

7. אַבָּא לִבָּה אֹהֶל אָלֹה

8. בָּלֹה בָּלָה הָמָה לָמָה

9. אָבִי אִמִּי בָּאוּ אָבוּ עָשׂוּ

10. עָם עַמִּי עִתִּי עָב עָבוֹת

11. אָבְדוּ עָמוּ רָעֲשׂוּ שָׁאֲלוּ

עִבְרִי – עִבְרִיָּה

Hebrew (m.)	עִבְרִי
Hebrew (f.)	עִבְרִיָּה
to	אֶל

אַבָּא: אִמָּא! מִי בָּא אֶל הַבַּיִת?

אִמָּא: יֶלֶד עִבְרִי בָּא אֶל הַבַּיִת.

אַבָּא: מַה שֵּׁם הַיֶּלֶד הָעִבְרִי?

אִמָּא: שֵׁם הַיֶּלֶד – אוּרִי.

אַבָּא: שָׁלוֹם, אוּרִי!

שַׁבַּת שָׁלוֹם, אוּרִי!

אִמָּא: אַבָּא! מִי בָּא אֶל הַבַּיִת?

אַבָּא: יַלְדָּה עִבְרִיָּה בָּאָה אֶל הַבַּיִת.

אִמָּא: מַה שֵּׁם הַיַּלְדָּה הָעִבְרִיָּה?

אַבָּא: שֵׁם הַיַּלְדָּה – רִיבָה.

אִמָּא: שָׁלוֹם, רִיבָה!

שַׁבַּת שָׁלוֹם רִיבָה!

ק קְ

KOOF

Has the sound of
K

PHONIC READING

1. קָ קַ קֶ קִ קִי

2. קוֹ קוּ קֻ קֵ קֵי

3. קוֹל קָלִי קַלוּ קוֹלִי קוֹלוֹ

4. קָרְבוּ בִּקֵרוּ קָבָרוּ דָלָקוּ

5. קַר קַל קַב קַשׁ רַק דַק

6. קֶבֶר קֶשֶׁר שֶׁקֶר שֶׁקֶל

7. בֹּקֶר בָּקָר שִׁקֵר עִקָר

8. רָקָדוּ דָבָקוּ שָׁרָקוּ תָּקָעוּ

יֶלֶד עִבְרִי

Hebrew language	עִבְרִית
(he) reads (m.)	קוֹרֵא
(she) reads (f.)	קוֹרֵאת
Five Books of Moses, Torah (f.)	תּוֹרָה

אוּרִי יֶלֶד עִבְרִי.

אוּרִי קוֹרֵא בַּתּוֹרָה.

אוּרִי קוֹרֵא עִבְרִית בַּתּוֹרָה.

רִיבָה יַלְדָּה עִבְרִיָּה.

רִיבָה קוֹרֵאת בַּתּוֹרָה.

רִיבָה קוֹרֵאת עִבְרִית בַּתּוֹרָה.

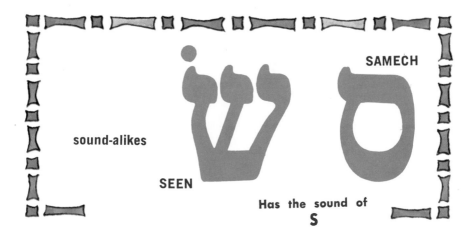

SAMECH

ס שׂ

sound-alikes

SEEN

Has the sound of
S

PHONIC READING

1. סָ סַ סֶ סִ סִי

2. סוֹ סוּ סֻ סֵ סֵי

3. שָׂ שַׂ שֶׂ שִׂ שִׂי

4. שׂוֹ שׂוּ שֻׂ שֵׂ שֵׂי

5. תָ תַ תֶ תִ תִי

6. תוֹ תוּ תֻ תֵ תֵי

1. אַדְמָתוֹ יָשֶׁב שָׁאַל עֹשֶׂה
2. עוֹלָם הַלְלוּיָה הַדְּבָרִים
3. לְאוֹת אִם לְעָבְדוֹ בְּעִתּוֹ
4. עֵשֶׂב מְהֵרָה הַשָּׁמַיִם
5. שָׁרוּ שָׁמוּ רָשׁוּ שָׁשׁוּ
6. שִׁשׁי שִׁישִׁי שָׁבוּ סָבָה
7. שָׁבָתוּ שׁבּרוּ שִׁבֵּרוּ בְּשֵׂרוּ
8. סוֹתֵר סוֹעֵר סִדֵּר סִדּוּר סֵדֶר

PHRASE READING

1. עֹשֵׂה מַעֲשֵׂה בְרֵאשִׁית.

הַיוֹם שַׁבָּת

today	הַיוֹם
prayerbook, Siddur (m.).	סִדוּר

הַיוֹם שַׁבָּת.

אוּרִי קוֹרֵא בַּתּוֹרָה.

אוּרִי קוֹרֵא בַּסִדוּר.

אוּרִי קוֹרֵא עִבְרִית בַּתּוֹרָה.

אוּרִי קוֹרֵא עִבְרִית בַּסִדוּר.

רִיבָה קוֹרֵאת בַּתּוֹרָה.

רִיבָה קוֹרֵאת בַּסִדוּר.

רִיבָה קוֹרֵאת עִבְרִית בַּסִדוּר.

רִיבָה קוֹרֵאת עִבְרִית בַּתּוֹרָה.

שַׁבַּת שָׁלוֹם, אוּרִי!

שַׁבַּת שָׁלוֹם, רִיבָה!

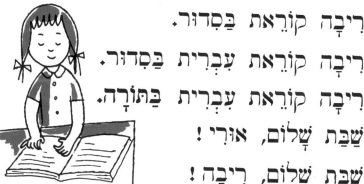

ק כּ

sound-alikes

KAF KOOF

Has the sound of

K

PHONIC READING

1. קָ קַ קֶ קִ קִי

2. קוֹ קוּ קֻ קֵ קֵי

3. כָּ כַּ כֶּ כִּ כִּי

4. כּוֹ כּוּ כֻּ כֵּ כֵּי.

5. קָרָא קוֹרֵא קוֹלִי קָמוּ

6. כָּל כָּלָה כַּלָה כַּמָה

7. כִּסֵא כַּבֵד כִּבוּד כַּבֵס

1. סוּסִי שָׁשׁוּ סוּסוֹ שִׁישׁוּ

2. שַׁקִי שַׁקוֹ קוֹלוֹ קוֹלִי

3. שָׁרוּ סַמוֹ שָׁמוּ מַסוֹ הַסִי

4. סָתָרוּ סֶסָתִי בִּשֵׁרוּ שָׁרוּ

5. קוֹלוֹ מַכָּה כַּמָּה לָקוּ

6. קָרָבוּ בִּקֵרוּ קָבָרוּ דָלָקוּ

7. דָקָרוּ רָקָדוּ בִּדֵקוּ דָבָקוּ

8. כָּתָבוּ רָתָמוּ קוֹמָתִי כַּלָתִי

9. תָּקַע שָׁקַע רֶקַע בֶּקַע

PHRASE READING

1. קוֹלִי שָׁמַעְתָּ.
2. כָּל מְקַדֵּשׁ שְׁבִיעִי.
3. יוֹשֵׁב עַל כִּסֵּא רָם.
4. כִּבּוּד אָב.

אַיֵּה אַבָּא?

(he) writes (m.)	כּוֹתֵב
(she) writes (f.)	כּוֹתֶבֶת

אוּרִי: שָׁלוֹם, רִיבָה!

רִיבָה: שָׁלוֹם, אוּרִי!

אוּרִי: רִיבָה! אַיֵּה אִמָּא?

רִיבָה: אִמָּא בַּבַּיִת, אִמָּא כּוֹתֶבֶת.

אוּרִי: מַה כּוֹתֶבֶת אִמָּא?

רִיבָה: אִמָּא כּוֹתֶבֶת עִבְרִית.

רִיבָה: שָׁלוֹם, אוּרִי!

אוּרִי: שָׁלוֹם, רִיבָה! שָׁלוֹם!

רִיבָה: אוּרִי! אַיֵּה אַבָּא?

אוּרִי: אַבָּא בַּבַּיִת.
אַבָּא כּוֹתֵב.

רִיבָה: מַה כּוֹתֵב אַבָּא?

אוּרִי: אַבָּא כּוֹתֵב
עִבְרִית.

CHAF כ

KAF כּ

Has the sound of
H
as in "challah"

Has the sound of
K

look-alikes

PHONIC READING

1. בָּכָּ   בַּכַּ   בֶּכֶּ   בִּכִּי

2. בֻּכֻּ   בּוּכּוּ   בֹּכּוֹ   בֵּכֵּי

3. בָּכָ   בַּכַ   בֶּכֶ   בִּכִי

4. בֻּכֻ   בּוּכוּ   בֹּכוֹ   בֵּכֵי

5. בָּכוּ   כָּבוּ   בּוֹכֶה   בָּכָה

6. כֻּלִּי   כֻּלּוֹ   בֶּכִי   כַּדִּי   כַּדּוֹ

7. בִּי   כִּי   לִבִּי   לֵכִי   דָּרְכוּ

1. אֵיכָה כָּכָה מִיכָה בּוֹכָה

2. בְּרָכָה בְּרֵכָה כְּרִיכָה מְלוּכָה

3. מְדוּכָה בְּכָל בַּכֹּל בָּכָה

4. בַּכַּר בַּקֹּר כַּבִּיר בַּקִּיר

5. בַּכִּירָה הַבִּירָה כֶּבֶשׂ כֶּבֶל

6. קֶבֶר קֶרֶשׁ כֶּבֶשׁ כָבוֹד

7. כְּבוּדָה סְעוּדָה תְּעוּדָה

8. בָּכוּ כָּבוּ בּוֹכֶה בָּכֶה

9. כְּלִי כְּלוֹ בֶּכִי כַּדִי כַּדוֹ

PHRASE READING

1. אֵיכָה יָשְׁבָה בָדָד.
2. אַדִּיר בִּמְלוּכָה.
3. כִּי לוֹ יָאֶה.

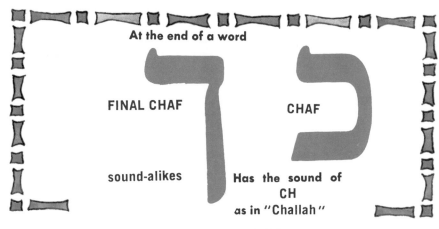

At the end of a word

ך כ

FINAL CHAF — CHAF

sound-alikes — Has the sound of CH as in "Challah"

PHONIC READING

1. אַךְ בָּךְ אֵיךְ כַּךְ

2. לָךְ מָךְ סָךְ דַךְ רַךְ

3. אָרוּךְ בָּרוּךְ בְּתֵךְ כָּרֹךְ

4. כָּרוּךְ דָתֵךְ דוֹדֵךְ דֹרֵךְ

5. דָרוּךְ דוֹרֵךְ הוֹלֵךְ לֵךְ

6. יָסֶךְ יֵדֵךְ לֵךְ הוֹלֵךְ

7. קָמָה קָרָא קָשָׁה קָשֶׁה

8. קוֹרֵא קוֹרֵאת בּוֹרֵא

1. קַל מַקֵל כָּלָה כַּמָּה כִּסֵּא

2. כַּבֵּד קוֹלוֹ קָמוּ קָרְבוּ מַדְלִיק

3. קוֹמָתִי תָּקַע כּוֹסוֹת הַכֹּל

4. כְּבוֹדוֹ כִּי כֻּלּוֹ בִּרְכַּת כָּל

5. מֵעַל קִשַּׁרְתֶּם כִּימֵי יַעֲקֹב

6. מִיכָה כָּמוֹכָה מְלוּכָה בָּכָה

7. כַּבִּיר קֶרֶשׁ כָּבוֹד בְּרָכָה

8. כִּכְלוֹת תַּכְלִית אֶקְרָא

PHRASE READING

1. בּוֹרֵא מְאוֹרֵי הָאֵשׁ.
2. בּוֹרֵא בְּשָׂמִים.
3. עֵינֵי כֹל אֵלֶיךָ יְשַׂבֵּרוּ.
4. כִּימֵי עוֹלָם וּכְשָׁנִים.

בַּסִּדּוּר

Kiddush, prayer over wine — קִדּוּשׁ

אַבָּא: שַׁבַּת שָׁלוֹם, אִמָּא!

אִמָּא: שַׁבַּת שָׁלוֹם, אַבָּא!

אַבָּא: אַיֵּה אוּרִי?

אִמָּא: אוּרִי בַּבַּיִת, אוּרִי קוֹרֵא בַּסִּדּוּר.

אַבָּא: מַה קוֹרֵא אוּרִי בַּסִּדּוּר?

אִמָּא: אוּרִי קוֹרֵא "קִדּוּשׁ" בַּסִּדּוּר.

אַבָּא: שַׁבַּת שָׁלוֹם, אִמָּא!

אִמָּא: שַׁבַּת שָׁלוֹם, אַבָּא!

אַבָּא: מִי בַּבַּיִת?

אִמָּא: רִיבָה בַּבַּיִת, רִיבָה קוֹרֵאת בַּסִּדּוּר.

אַבָּא: מַה קוֹרֵאת רִיבָה בַּסִּדּוּר?

אִמָּא: רִיבָה קוֹרֵאת "שְׁמַע יִשְׂרָאֵל" בַּסִּדּוּר.

ח כ

CHET CHAF

sound-alikes

Has the sound of
CH
as in "challah"

PHONIC READING

1. חוּ חְ חוֹ חֵ חֵי

2. כָ כִ כֶ כַ כִי

3. חוֹלֶה חָלוּ לַחָה דוֹחֶה

4. מָחוּ מֹחִי חֵילִי חֵילוֹ לֵחוֹ

5. חוֹרִי דֶחִי חָלָמוּ מָכָרוּ

6. חָכָמוּ בָּרָחוּ בֵּרכוּ בּוֹרֵא

7. בָּחָרוּ חָרָמוּ רִחֵמוּ חָרָבוּ

8. לָחָכוּ לָחָמוּ מִדֶחִי חָלָמוּ

הַמִּכְתָּב

to	לְ, לַ	letter	מִכְתָּב
to whom ?	לְמִי	Land of Israel	יִשְׂרָאֵל

אִמָּא: שָׁלוֹם, אוּרִי!

אוּרִי: שָׁלוֹם, אִמָּא!

אִמָּא: אַיֵּה רִיבָה?

אוּרִי: רִיבָה בַּבַּיִת, רִיבָה כּוֹתֶבֶת.

אִמָּא: כּוֹתֶבֶת? מַה רִיבָה כּוֹתֶבֶת?

אוּרִי: רִיבָה כּוֹתֶבֶת מִכְתָּב עִבְרִי.

אִמָּא: לְמִי כּוֹתֶבֶת רִיבָה מִכְתָּב עִבְרִי?

אוּרִי: לַמּוֹרֶה הָעִבְרִי בְּיִשְׂרָאֵל.

אַבָּא: הֲלוֹ רִיבָה · שָׁלוֹם, רִיבָה!

רִיבָה: שָׁלוֹם, אַבָּא!

אַבָּא: אַיֵּה אוּרִי?

רִיבָה: אוּרִי בַּבַּיִת, אוּרִי כּוֹתֵב.

אַבָּא: אוּרִי כּוֹתֵב? מַה כּוֹתֵב אוּרִי?

רִיבָה: אוּרִי כּוֹתֵב מִכְתָּב עִבְרִי.

אַבָּא: לְמִי כּוֹתֵב אוּרִי מִכְתָּב עִבְרִי?

רִיבָה: לַמּוֹרֶה הָעִבְרִי בְּיִשְׂרָאֵל.

63

At the end of a word

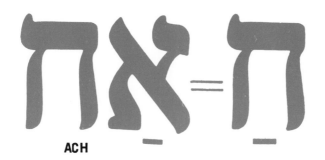

חַ = אַח

ACH

PHONIC READING

1. לוּחַ לֵחַ רוּחַ רֵיחַ יָרֵחַ
2. כֹּחַ מֹחַ חוֹחַ סָלֹחַ
3. יָרֵחַ אוֹרֵחַ שׁוֹלֵחַ בּוֹרֵחַ
4. חַבֵּר חַדֵשׁ חַכֵּה חַקֵה
5. דֶרֶךְ סוֹמֵךְ יָדֶיךְ עָרוּךְ
6. בְּשָׁכְבְּךְ וּבְלֶכְתְּךְ מַעֲשֶׂיךְ
7. לָחַשׁ בָּחַשׁ כָּחַשׁ תַּחַת
8. שָׂמֵחַ מָשִׁיחַ.

1. עֵשֶׂב מְהֵרָה הַשָׁמַיִם

2. שָׁרוּ שָׁמוּ רָשׁוּ שָׁשׁוּ

3. שִׁשִׁי שִׁישִׁי שָׁבוּ סָבָה

4. סָתָרוּ סְסָתִי בִשֵׁרוּ שָׁרוּ

5. קוֹלוֹ מַכָּה כַּמָה לָקוּ

6. קָרָבוּ בִּקֵרוּ קָבָרוּ דָלָקוּ

7. בַּכִּירָה הַבִּירָה כֶּבֶשׂ כֶּבֶל

8 קֶבֶר קֶרֶשׁ כֶּבֶשׂ כָבוֹד

PHRASE READING

1. וּבְלֶכְתְּךָ בַדֶּרֶךְ.

2. וּבְשָׁכְבְּךָ וּבְקוּמֶךָ.

הַלּוּחַ

on, over	עַל
blackboard (m.)	לוּחַ

אַיֵּה אוּרִי?

אוּרִי בַּבַּיִת.

אוּרִי כּוֹתֵב.

אוּרִי כּוֹתֵב מִכְתָּב.

אוּרִי כּוֹתֵב מִכְתָּב לְיִשְׂרָאֵל.

אַיֵּה רִבְקָה?

רִבְקָה בַּבַּיִת.

רִבְקָה כּוֹתֶבֶת.

רִבְקָה כּוֹתֶבֶת עַל הַלּוּחַ.

רִבְקָה כּוֹתֶבֶת עִבְרִית עַל הַלּוּחַ.

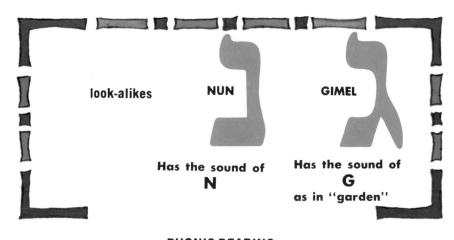

GIMEL ג	**NUN** נ	**look-alikes**
Has the sound of **G** as in "garden"	Has the sound of **N**	

PHONIC READING

1. גָ גַ גֶ גִ גִי
2. נוּ נוֹ נֻ נֵ נֵי
3. גִיר נִילָה גִישָׁה נִיס
4. חַג חַגִי חַנִים דָגִים
5. גַנִי גַלִי גַבִּי נַב גַם
6. בִּנֵם יִבֵּם בֵּאֵר אַנֵה
7. נִיר בַּגִיר.

חֲזָרָה REVIEW

1. חַי חַיִל בַּתְחִלָה אַחֲרֵי חָסַר
2. חֶסֶד בָּחַר חַסְדְךְ חוֹמֶר
3. אַחֲרֵיהֶם לֶחֶם חַלָה אָשִׁיחָה
4. סוֹמֵךְ יָדֶךְ מַלְכוּתְךְ אֶרֶךְ
5. מְאֹדֶךְ בַּדֶרֶךְ לְךְ יִמְלֹךְ
6. יְבָרְכוּךְ וּכְבוֹד מֶמְשֶׁלֶת
7. שִׁמְךְ יְשַׁבֵּחַ הוֹדְךְ בָּרוּךְ

PHRASE READING

1. אַתָּה גִּבּוֹר לְעוֹלָם אֲדֹנָי.
2. חֶסֶד וְרַחֲמִים לִפְנֵי כְבוֹדוֹ.
3. אֲשֶׁר בָּחַר בָּנוּ מִכָּל הָעַמִּים.
4. בְּכָל נַפְשְׁךְ וּבְכָל מְאֹדֶךְ.
5. גּוֹמֵל חֲסָדִים טוֹבִים.

אוּרִי בַּבַּיִת. רִיבָה בַּבַּיִת.

in, with	– בְּ
chalk (m.)	גִּיר
also	גַּם

בַּיִת.

אוּרִי בַּבַּיִת. גַּם רִיבָה בַּבַּיִת.

לוּחַ בַּבַּיִת.

אוּרִי כּוֹתֵב עַל הַלּוּחַ בַּגִּיר.

גַּם רִיבָה כּוֹתֶבֶת עַל הַלּוּחַ בַּגִּיר.

אוּרִי כּוֹתֵב „שָׁלוֹם אַבָּא".

רִיבָה כּוֹתֶבֶת „שָׁלוֹם אִמָּא".

שָׁלוֹם יִשְׂרָאֵל

בַּמֶּה   With what?

הַמּוֹרָה: אוּרִי! מִי כּוֹתֵב עַל הַלּוּחַ?

אוּרִי: רִיבָה כּוֹתֶבֶת עַל הַלּוּחַ.

הַמּוֹרָה: בַּמֶּה כּוֹתֶבֶת רִיבָה עַל הַלּוּחַ?

אוּרִי: רִיבָה כּוֹתֶבֶת עַל הַלּוּחַ בַּגִּיר.

הַמּוֹרָה: מַה כּוֹתֶבֶת רִיבָה בַּגִּיר עַל הַלּוּחַ?

אוּרִי: עַל הַלּוּחַ רִיבָה כּוֹתֶבֶת:
            "שָׁלוֹם, מוֹרָה"!

הַמּוֹרָה: אוּרִי! מַה כּוֹתֵב הַיֶּלֶד מִיִשְׂרָאֵל עַל
          הַלּוּחַ?

אוּרִי: הַיֶּלֶד מִיִשְׂרָאֵל כּוֹתֵב עַל
          הַלּוּחַ: "שָׁלוֹם יִשְׂרָאֵל"!

70

חֲזָרָה REVIEW

1.	חָנֵנוּ	גָּלִינוּ	רָגְמוּ	גָּלְלוּ
2.	דָּלְגוּ	מִגְּנוּ	גָּדְלוּ	גָּדְלוּ
3.	מַדֵּינוּ	דְּמִינוּ	שָׁמְנוּ	דָּחִינוּ
4.	בָּתֵּנוּ	בָּנִיתִי	בָּנִיתָ	בָּמָתֵי
5.	אָחִי	עֵינִי	עָנִי	נָעוּ	עָנוּ
6.	כִּסִּיתִי	נָסִיתִי	נִסִּיתִי	נִסָּה
7.	חוֹמָתֵנוּ	בֵּיתֵנוּ	בָּתֵּינוּ	בָּתֵּנוּ.
8.	הַקּוֹנֶה	הַבּוֹנֶה	הַנִּיאָה	הוֹלִיד
9.	גַּג	חַג	גַּנִּי	גַּגִּי.

At the end of a word

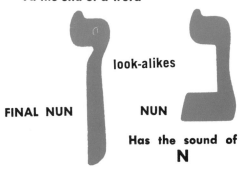

ן FINAL NUN

look-alikes

נ NUN

Has the sound of
N

PHONIC READING

1. אֵין בֵּן גַּן דִּין

2. הוֹן חֵן כֵּן עֵין שֵׁן

3. נָבוֹן נָחוֹן חוֹנֵן נָכוֹן כּוֹנֵן

4. נָלִין לוֹנֵן קוֹנֵן נָרִין נָתֹן

PHRASE READING

1. הוּא נוֹתֵן לֶחֶם לְכָל בָּשָׂר.
2. וּשְׁאַבְתֶּם מַיִם בְּשָׂשׂוֹן.
3. חַיִּים שֶׁל שָׁלוֹם.
4. מֹשֶׁה וּבְנֵי יִשְׂרָאֵל.

הַמִּכְתָּב הָעִבְרִי

שֶׁל — belongs to, of

כֵּן — yes

הַמּוֹרֶה: יַלְדָּה! לְמִי כּוֹתֵב אוּרִי מִכְתָּב עִבְרִי?

הַיַּלְדָּה: אוּרִי כּוֹתֵב מִכְתָּב עִבְרִי לְאַבָּא.

הַמּוֹרֶה: מִכְתָּב עִבְרִי? אַבָּא שֶׁל אוּרִי קוֹרֵא עִבְרִית?

הַיַּלְדָּה: כֵּן, כֵּן! אַבָּא שֶׁל אוּרִי כּוֹתֵב עִבְרִית – גַּם קוֹרֵא עִבְרִית.

הַמּוֹרֶה: אַיֵּה אַבָּא שֶׁל אוּרִי?

הַיַּלְדָּה: אַבָּא שֶׁל אוּרִי בְּיִשְׂרָאֵל.

הַמּוֹרֶה: יַלְדָּה! לְמִי כּוֹתֶבֶת רִיבָה מִכְתָּב עִבְרִי?

הַיַּלְדָּה: רִיבָה כּוֹתֶבֶת מִכְתָּב עִבְרִי לְאִמָּא.

הַמּוֹרֶה: מִכְתָּב עִבְרִי? אִמָּא שֶׁל רִיבָה קוֹרֵאת עִבְרִית?

הַיַּלְדָּה: כֵּן, כֵּן! אִמָּא שֶׁל רִיבָה קוֹרֵאת עִבְרִית – גַּם כּוֹתֶבֶת עִבְרִית.

הַמּוֹרֶה: אַיֵּה אִמָּא שֶׁל רִיבָה?

הַיַּלְדָּה: אִמָּא שֶׁל רִיבָה בְּיִשְׂרָאֵל.

73

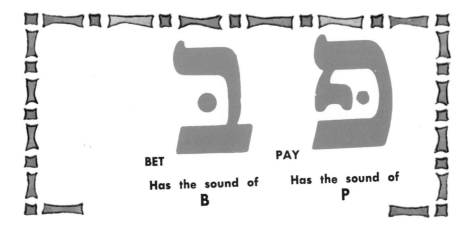

בּ פּ

BET

Has the sound of
B

PAY

Has the sound of
P

PHONIC READING

1. פָּ פַּ פֶּ פִּ פִּי

2. פּוֹ פּוּ פֻּ פֵּ פֵּי

3. בָּ בַּ בֶּ בִּ בִּי

4. בּוֹ בּוּ בֻּ בֵּ בֵּי

5. פָּר בָּר פָּנוּ בָּדוּ רַבּוּ

6. רִפּוּ גַּפִּי כַּפִּי אַפִּי פָּרוּ

7. פַּסוֹ פִּתוֹ בּתוֹ בַּנִיתִי

1. פָּקְחוּ בָּרְחוּ פָּרְחוּ גַּפֵּנוּ

2. גַּבֵּנוּ כַּפֵּינוּ פָּנִיתִי בָּנִיתִי

3. סִפֵּרוּ שִׁבֵּרוּ פָּתְחוּ פָּסְחוּ

4. רִבֵּיתִי פָּרְתִי פָּרְחוּ פָּגְשׁוּ

5. פָּקַד שָׁבַר אוֹכֵל אוֹמֵר

6. פָּגוּשׁ שָׁאוּל פָּקוּד שָׁבוּר.

7. פָּר בָּר פָּנוּ בָּדוּ רַבּוּ

8. פָּרוּ אַפִּי כַּפִּי גַּפִּי רִפּוּ

PHRASE READING

1. בְּנֵה בֵּיתְךָ בְּקָרוֹב.
2. שִׁבְחוּ גְּאוּלִים לְשִׁמְךָ.

הַיּוֹם שַׁבָּת

אוּרִי בַּבַּיִת.

רִיבָה בַּבַּיִת.

הַיּוֹם שַׁבָּת.

אוּרִי קוֹרֵא בַּתּוֹרָה.

רִיבָה קוֹרֵאת בַּסִּדּוּר.

שַׁבַּת שָׁלוֹם, אוּרִי!

שַׁבַּת שָׁלוֹם, רִיבָה!

REVIEW חֲזָרָה

1. בְּנֵי נוֹדֶה מְנַת אֲנִי נָע
2. נוּם נֵרוֹת אָבִינוּ יָמֵינוּ נָד
3. מַלְכֵּנוּ לוּחַ לִבְנֵי בּוֹרְאֵנוּ
4. רְעֵנוּ אָנָא נְבָרֵךְ נוֹרָא
5. נַעֲשָׂה עֵינֵיכֶם אָנֹכִי לָנוּחַ
6. נָכוֹן קוֹנֵן תּוֹרָתָן עַיִן

PHRASE READING

1. נוֹדֶה לְּךָ.
2. הַנֵּרוֹת הַלָּלוּ קֹדֶשׁ הֵם.
3. גָּדוֹל אֲדוֹנֵינוּ.
4. קוֹל שָׂשׂוֹן.
5. אָבִינוּ מַלְכֵּנוּ.

מִי בַּבַּיִת?

son (m.)	בֵּן
daughter (f.)	בַּת

גָּדִי: הֶלוֹ רִינָה!
רִינָה! מַה שֵׁם הַיֶּלֶד הָעִבְרִי?

רִינָה: שֵׁם הַיֶּלֶד הָעִבְרִי – אוּרִי.

גָּדִי: אוּרִי! אוּרִי! הַבֵּן שֶׁל מִי?

רִינָה: אוּרִי הַבֵּן שֶׁל הִלֵּל.
אוּרִי הַבֵּן שֶׁל שָׂרָה.

רִינָה: גָּדִי! מַה שֵׁם הַיַּלְדָּה?

גָּדִי: שֵׁם הַיַּלְדָּה – נִירָה.

רִינָה: נִירָה! נִירָה! הַבַּת שֶׁל מִי?

גָּדִי: נִירָה הַבַּת שֶׁל הִלֵּל.
נִירָה הַבַּת שֶׁל שָׂרָה.

look-alikes

ב VET
Has the sound of
V

פ FAY
Has the sound of
F

PHONIC READING

1. פָ פַ פֶ פְ פִי

2. פֹ פוּ פֻ פֵ פֵי

3. בָ בַ בֶ בְ בִי

4. בֹ בוּ בֻ בֵ בֵי

5. רָפוּ רָבוּ סָפוּ שָׁבוּ דוֹפִי

6. שֶׁפִי שֶׁבִי שָׁרָפוּ סִפֵרוּ

7. שִׁבֵרוּ תָפָרוּ גָבָרוּ דָבָקוּ

1. עוֹשֵׂיהֶן גְּמַלִי נְשָׁמָה רוֹעֶה
2. גְּמִילַת חָרָה חַמָּה אַחֲרֵיהֶם
3. פִּי פָּנִים אֲסַפֵּר סִפּוּר סַפָּה
4. חָפָרוּ חָבָרוּ כִּפֵּרוּ כָּפָלוּ גָּבָלוּ
5. עָפָר אֵפֶר תָּפַר סֵפֶר
6. רוֹפֵא סוֹפֵר סוֹפוֹ סוֹפֵנוּ
7. סֵפֶר סֵפֶל סַפְסָל סַפְסָר

PHRASE READING

1. נְשָׁמָה שֶׁנָּתַתָּ בִּי.
2. כִּי עָפָר אַתָּה.
3. אָדָם יְסוֹדוֹ מֵעָפָר.
4. כָּתְבֵנוּ בְּסֵפֶר סְלִיחָה.
5. כָּתְבֵנוּ בְּסֵפֶר פַּרְנָסָה.
6. עֵבֶר הַיַּרְדֵּן.
7. בְּעֵבֶר הַיַּרְדֵּן יָשְׁבוּ אֲבוֹתֵיכֶם.

בְּבֵית־הַסֵּפֶר

book (m.)	סֵפֶר	Where is, Where? ?	אֵיפֹה, אַיֵּה
pencil (m.)	עִפָּרוֹן	notebook (f.)	מַחְבֶּרֶת
school (m.)	בֵּית־הַסֵּפֶר		

אַבָּא: שָׂרָה! אֵיפֹה אוּרִי? אֵיפֹה רִיבָה?

אִמָּא: אוּרִי בְּבֵית־הַסֵּפֶר הָעִבְרִי.
גַּם רִיבָה בְּבֵית־הַסֵּפֶר הָעִבְרִי.

אַבָּא: מַה שֵּׁם בֵּית־הַסֵּפֶר הָעִבְרִי?

אִמָּא: שֵׁם בֵּית־הַסֵּפֶר – "בֵּית־אֵל".

אַבָּא: מַה קּוֹרֵא אוּרִי בְּבֵית־הַסֵּפֶר?

אִמָּא: סֵפֶר עִבְרִי! אוּרִי קוֹרֵא סֵפֶר עִבְרִי.
גַּם רִיבָה קוֹרֵאת סֵפֶר עִבְרִי.

אַבָּא: בַּמֶּה כּוֹתֵב אוּרִי?

אִמָּא: אוּרִי כּוֹתֵב בָּעִפָּרוֹן בַּמַּחְבֶּרֶת.

אַבָּא: בַּמֶּה כּוֹתֶבֶת רִיבָה?

אִמָּא: רִיבָה כּוֹתֶבֶת בְּגִיר עַל הַלּוּחַ.

אַבָּא: מַה כּוֹתֵב אוּרִי בַּמַּחְבֶּרֶת?
אִמָּא: אוּרִי כּוֹתֵב: "הַשֵּׁם שֶׁל אַבָּא הִלֵּל".
אַבָּא: מַה כּוֹתֶבֶת רִבְקָה עַל הַלּוּחַ?
אִמָּא: רִבְקָה כּוֹתֶבֶת: "הַשֵּׁם שֶׁל אִמָּא שָׂרָה".

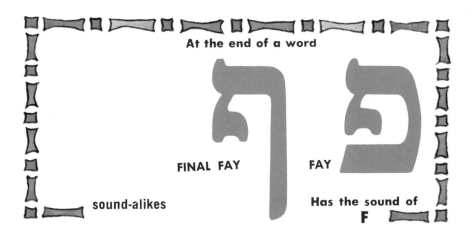

At the end of a word

ף פ

FINAL FAY — FAY

sound-alikes

Has the sound of F

PHONIC READING

1. אַף גוּף דַּף חוֹף

2. סוֹף עוֹף חָף תּוֹף

3. הוֹן חֵן כֵּן עֵין שֵׁן

PHRASE READING

1. כֵּן תַּעֲשֶׂה כַּאֲשֶׁר דִּבַּרְתָּ.
2. כֵּן תְּחָנֵּנוּ וּתְלַמְּדֵנוּ.
3. כַּאֲשֶׁר פָּתַר לָנוּ כֵּן הָיָה.
4. אֵין לוֹ דְּמוּת הַגּוּף.
5. אֵין סוֹף לְאַחְדוּתוֹ.
6. הַנּוֹתֵן לַיָּעֵף כֹּחַ.

סֵפֶר ״עִבְרִי־אַנְגְּלִי״

Hebrew (m.)	עִבְרִי
or	אוֹ
English	אַנְגְּלִית
	אַנְגְּלִי

אוּרִי: שַׁבָּת שָׁלוֹם, אִמָּא!

אִמָּא: שַׁבָּת שָׁלוֹם, אוּרִי!

אוּרִי: אִמָּא! אֵיפֹה רִבְקָה?

אִמָּא: רִבְקָה בַּבַּיִת. רִבְקָה קוֹרֵאת סֵפֶר.

אוּרִי: סֵפֶר עִבְרִי אוֹ סֵפֶר אַנְגְלִי?

אִמָּא: סֵפֶר ״עִבְרִי־אַנְגְלִי״.
רִיבָה קוֹרֵאת סֵפֶר ״עִבְרִי־אַנְגְלִי״.

אוּרִי: עִבְרִי־אַנְגְלִי? מַה שֵׁם הַסֵּפֶר
הָ״עִבְרִי־אַנְגְלִי״?

אִמָּא: שֵׁם הַסֵּפֶר – ״הַתּוֹרָה״.

אוּרִי: מַה קוֹרֵאת רִיבָה, בְּאַנְגְלִית אוֹ
בְּעִבְרִית?

אִמָּא: רִיבָה קוֹרֵאת בְּאַנְגְלִית גַּם בְּעִבְרִית.

85

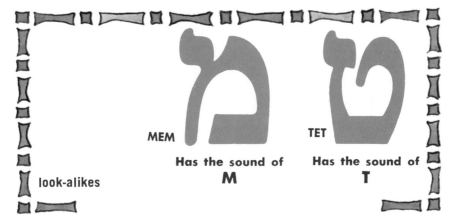

ט TET
Has the sound of
T

מ MEM
Has the sound of
M

look-alikes

PHONIC READING

1. טָ טַ טֶ טִ טִי

2. טוֹ טוּ טֻ טֵ טֵי

3. מָ מַ מֶ מִ מִי

4. מוֹ מוּ מֻ מֵ מֵי.

5. טָמֵא מַטֶה מַטִי מָטוּ

6. מְמִי מְמוֹ נָטוּ לוּטָה

7. טוֹבוּ טוּבוֹ דָחוּ מִטָה

1. מִדָּה מַטִי חִטָה חִידָה
2. חָלְטוּ חָרְטוּ טָחֲבוּ מָכְרוּ
3. מָרְדוּ טוֹבֵנוּ דְּבֵנוּ מַטֵנוּ
4. תַּמּוּ בִּתֵּנוּ בָּתֵּינוּ מִבָּתֵּי
5. מַבָּטִי מִבָּתּוֹ מַבָּטוֹ מְגִתֵּי
6. מִתַּתֵּי תָּלִינוּ כְּנוֹרֵנוּ דוֹדֵנוּ
7. סוֹמֵךְ יָדֶךָ מַלְכוּתְךָ אֶרֶךְ
8. מְאֹדֶךָ בַּדֶּרֶךְ לְךָ יִמְלֹךְ

PHRASE READING

1. שָׁמְרוּ בְנֵי יִשְׂרָאֵל אֶת הַשַׁבָּת.
2. פּוֹתֵחַ אֶת יָדֶךָ.
3. מַלְכוּתְךָ מַלְכוּת כָּל עוֹלָמִים.
4. אֶרֶךְ אַפַּיִם וּגְדָל חֶסֶד.

מִי הַמּוֹרֶה הַיּוֹם?

pen (m.)	עֵט
notebook (f.)	מַחְבֶּרֶת
homework	עֲבוֹדַת־בַּיִת

דָּוִד: אֵיפֹה אוּרִי?

שׁוּלַמִּית: אוּרִי בַּבַּיִת. אוּרִי כּוֹתֵב.

דָּוִד: מַה כּוֹתֵב אוּרִי? מִכְתָּב?

שׁוּלַמִּית: לֹא! לֹא מִכְתָּב! אוּרִי כּוֹתֵב עֲבוֹדַת־בַּיִת.

דָּוִד: בַּמֶּה כּוֹתֵב אוּרִי עֲבוֹדַת־בַּיִת?

שׁוּלַמִּית: אוּרִי כּוֹתֵב עֲבוֹדַת־בַּיִת בַּמַּחְבֶּרֶת.

88

דָּוִד: בַּמֶּה כּוֹתֵב אוּרִי?

שׁוּלַמִּית: בְּעִפָּרוֹן, אוּרִי כּוֹתֵב עֲבוֹדַת־בַּיִת בְּעִפָּרוֹן.

דָּוִד: אֵיפֹה רִיבָה?

שׁוּלַמִּית: גַּם רִיבָה בַּבַּיִת, גַּם רִיבָה כּוֹתֶבֶת.

דָּוִד: מַה כּוֹתֶבֶת רִיבָה?

שׁוּלַמִּית: גַּם רִיבָה כּוֹתֶבֶת עֲבוֹדַת־בַּיִת.

דָּוִד: גַּם רִיבָה כּוֹתֶבֶת עֲבוֹדַת־בַּיִת בַּמַּחְבֶּרֶת?

שׁוּלַמִּית: כֵּן, כֵּן! גַּם רִיבָה כּוֹתֶבֶת בַּמַּחְבֶּרֶת.

דָּוִד: בַּמֶּה כּוֹתֶבֶת רִיבָה בַּמַּחְבֶּרֶת?

גַּם רִיבָה כּוֹתֶבֶת בַּמַּחְבֶּרֶת בְּעִפָּרוֹן.

חֲזָרָה REVIEW

1. שָׂפָה עִפָּרוֹן וּפוֹדֶה נֶפֶשׁ
2. גְמִילַת מִשְׁכַּן לִפְנֵי נִבְרָא
3. אָהַבְתִּי מְעוֹן כְּבוֹדֶךְ אִישַׁן
4. נַעֲשָׂה נִקְרָא בְּתִפְאָרָה לֹא
5. גַאֲלִי חֶבְלִי נִסִי וּמָנוֹס מְנָת
6. אָסַף אָסַפְתִּי רוֹפֵא דַפִּים
7. פָּרָה כָּנָף יִרְדוֹף פֶּן

PHRASE READING

1. מְנָת כּוֹסִי.
2. לְעֵת נַעֲשָׂה.
3. עַמּוֹ יִשְׂרָאֵל.
4. רוֹפֵא חוֹלִים.
5. טַל וּמָטָר לִבְרָכָה.

צ ס

SAMECH ס — Has the sound of **S**

TZADEE צ — Has the sound of **TZ**

PHONIC READING

1. צָ צַ צֶ צִ צִי

2. צוֹ צוּ צֻ צֵ צֵי

3. סָ סַ סֶ סִ סִי

4. סוֹ סוּ סֻ סֵ סֵי.

5. בֶּצַע דִיצָה צֵידָה צִלִי

6. סַבִּי מָצוּ צָמֵא מָסוּ צָרוּ

7. סָרוּ שִׁישִׁי רוּצוּ חוּסוּ

1. כָּעַיִט טְמִיעָה בְּטוּבוֹ בֶּצַע
2. טוּבוֹ טוּבְךָ לָטוּס שָׁטֹחַ
3. צִלֵּנוּ קִצֵּנוּ כּוֹסֵנוּ קָצָרוּ
4. חָסְרוּ בָּצֵקוּ בַּסֻּכָּה צָרָתִי
5. שָׁרָתִי תָּצֹרוּ תָּסוּרוּ תָּמֹצוּ
6. תָּמִיתוּ תָּצוּמוּ תָּשִׂימוּ צֵידָתֵנוּ

PHRASE READING

1. צִוָּנוּ לֵישֵׁב בַּסֻּכָּה.
2. יַם סוּף בָּקַעְתָּ.
3. גּוֹזֵר יַם סוּף לִגְזָרִים.
4. וּמִבְחַר שָׁלִשָׁיו טֻבְּעוּ.
5. הִנֵּה הָאֵשׁ וְהָעֵצִים.
6. הִנֵּה אֵל יְשׁוּעָתִי.
7. נָתַתִּי עֵשֶׂב בְּשָׂדְךָ.

תּוֹדָה

here is, here are	הִנֵּה
thank you, thanks	תּוֹדָה
but	אֲבָל

יוֹנִית: דָּנִי! אֵיפֹה הָעֵט? אֵיפֹה הַמַּחְבֶּרֶת?

דָּנִי: הִנֵּה הָעֵט, יוֹנִית.

יוֹנִית: תּוֹדָה, דָּנִי! תּוֹדָה! אֲבָל אֵיפֹה הַמַּחְבֶּרֶת?

דָּנִי: הַמַּחְבֶּרֶת בְּבֵית־הַסֵּפֶר. הַמּוֹרֶה קוֹרֵא עֲבוֹדַת־בַּיִת בַּמַּחְבֶּרֶת.

יוֹנִית: דָּנִי! אֵיפֹה הַסִּדּוּר? אֵיפֹה הָעִפָּרוֹן?

דָּנִי: הִנֵּה הָעִפָּרוֹן, יוֹנִית.

יוֹנִית: תּוֹדָה, דָּנִי! תּוֹדָה! אֲבָל אֵיפֹה הַסִּדּוּר?

דָּנִי: הַסִּדּוּר בַּבַּיִת. גַּם הַסִּדּוּר שֶׁל אַבָּא בַּבַּיִת. גַּם הַסִּדּוּר שֶׁל אִמָּא בַּבַּיִת.

93

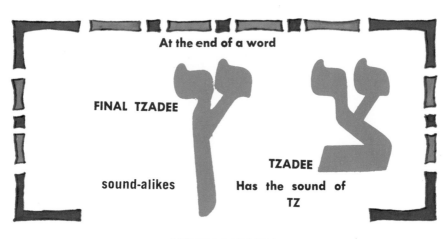

At the end of a word

FINAL TZADEE		TZADEE
ץ		צ
sound-alikes		Has the sound of TZ

PHONIC READING

1. אָץ חֵץ לֵץ מוֹץ
2. עֵץ צִיץ קֵץ רָץ
3. אָפֹה אַף אָץ עָפוּ עָף
4. עֵצָה עֵץ חָפוּ חָף חִצִּי חֵץ
5. סוּף צִיץ צָפוּ צָף קֵץ
6. רוּצוּ רוּץ צָעִיר אַף גֵץ
7. גוּף דוֹב דַף חוּף סוֹף
8. עָף טוֹב תּוֹף סוֹבֵב

בְּבֵית־הַכְּנֶסֶת

Holy Ark (m.)	אֲרוֹן־הַקֹּדֶשׁ
temple (m.)	בֵּית־הַכְּנֶסֶת

אֵיפֹה הַתּוֹרָה?

הַתּוֹרָה בַּאֲרוֹן־הַקֹּדֶשׁ.

אֵיפֹה אֲרוֹן־הַקֹּדֶשׁ?

אֲרוֹן־הַקֹּדֶשׁ בְּבֵית־הַכְּנֶסֶת.

כֵּן, כֵּן, הַתּוֹרָה בַּאֲרוֹן־הַקֹּדֶשׁ.

כֵּן, כֵּן, אֲרוֹן־הַקֹּדֶשׁ בְּבֵית־הַכְּנֶסֶת.

Has the sound of F — Has the sound of TZ

look-alikes

ף ץ

FINAL FAY — FINAL TZADEE

PHONIC READING

1. אַף גוּף דַף חוֹף

2. סוֹף עוֹף צָף תּוֹף

3. אָץ חֵץ לֵץ מוֹץ

4. עֵץ צִיץ קֵץ רָץ

5. אֵצֶל לֵצִים דַפִּים חוֹף

6. כְּבוּדָה, סְעוּדָה, תְּעוּדָה

7. בְּרָכָה.

REVIEW חֲזָרָה

1. רָצָה צֶמַח מַצּוֹת יוֹצֵר
2. מִצְרַיִם אַרְצֵנוּ תַּצְמִיחַ מוֹרֶה
3. צִצִית יָפוּצוּ בֵּיצִים צוֹרֵר
4. צָרַעַת מְצוֹרָע מִצְנֶפֶת צַר
5. עָצִיץ מִיץ לֵץ שֶׁרֶץ אֶרֶץ
6. פֶּרֶץ יַחַץ אֶבְרְכָה רָצוֹן
7. בְּחֶפְצוֹ נִקְרָא כִּכְלוֹת סֻלָם

PHRASE READING

1. יוֹצֵר אוֹר וּבוֹרֵא חֹשֶׁךְ.
2. יוֹצֵר הַמְּאוֹרוֹת.
3. יָפוּצוּ אוֹיְבֶיךָ.
4. אֲזַי מֶלֶךְ שְׁמוֹ נִקְרָא.
5. זֵכֶר רַב טוּבְךָ יַבִּיעוּ.
6. בְּאַהֲבָה וּבְרָצוֹן הִנְחַלְתָּנוּ.

רַבִּי גַּמְלִיאֵל

רַבִּי   rabbi (m.)

נִירָה: דָּנִי! אֵיפֹה רַבִּי גַּמְלִיאֵל?

דָּנִי: רַבִּי גַּמְלִיאֵל בְּבֵית-הַכְּנֶסֶת.

הִנֵּה! הִנֵּה הָרַבִּי בָּא.

נִירָה: שַׁבַּת-שָׁלוֹם, רַבִּי גַּמְלִיאֵל!

הָרַבִּי: שַׁבַּת-שָׁלוֹם, נִירָה!

שַׁבַּת-שָׁלוֹם, דָּנִי!

נִירָה: רַבִּי! אֵיפֹה הַתּוֹרָה?

רַבִּי: הַתּוֹרָה בַּאֲרוֹן-הַקֹּדֶשׁ.

נִירָה: אֵיפֹה אֲרוֹן-הַקֹּדֶשׁ?

רַבִּי: הִנֵּה! הִנֵּה אֲרוֹן-הַקֹּדֶשׁ.

נִירָה: רַבִּי! מִי קוֹרֵא בַּתּוֹרָה הַיּוֹם?

אַבָּא שֶׁל רָמִי?

רַבִּי: לֹא! אַבָּא שֶׁל אוּרִי קוֹרֵא הַיּוֹם

בַּתּוֹרָה.

98

TZADEE	צ	ZAYIN	ז
	Has the sound of TZ		Has the sound of Z

PHONIC READING

1. זָ   זַ   זֶ   זִ   זִי

2. זוֹ   זוּ   זֻ   זֵ   זֵי

3. צָ   צַ   צֶ   צִ   צִי

4. צוֹ   צוּ   צֻ   צֵ   צֵי

5. זָרוּ   צָרוּ   סָרוּ   רוּצִי   כּוּסִי

6. סָבָה   סֻכָּה   זַכּוּ   זֻגוֹ   צֵדִי

7. סַלִי   זָזוּ   שָׁשׁוֹ   זָכוּ   זֻגָתִי

1. סֻכָּתִי צוּקָתִי זִכִּיתִי בָּזִיתִי
2. שָׁתִיתִי גָזָרוּ תָּזוּבוּ תָּסֹבּוּ
3. זָכָרוּ סָחָרוּ חָסָרוּ תָּצוֹמוּ
4. תָּזוֹמוּ בָּזָזוּ חִצֵּנוּ קִצֵּנוּ
5. מֶלֶךְ עֶבֶד בֶּגֶד צֶדֶק
6. קֶרֶב בַּיִת זַיִת עַיִן אַיִל
7. חֵקֶר אָשִׁיחָה טוּבְךָ יְרַנֵּנוּ
8. טוֹב חוֹפֵף חָרוּץ קוֹף

PHRASE READING

1. מֶלֶךְ אֵל רָם וְנִשָּׂא.
2. כָּל קֶרֶב וּכְלָיוֹת.
3. וְהִנֵּה אַיִל נֶאֱחַז.
4. נְהָרוֹת יִמְחֲאוּ כָף.
5. הוֹדוֹ עַל אֶרֶץ שָׁמָיִם.

הַיּוֹם שַׁבָּת

near	אֵצֶל
cantor (m.)	חַזָּן
(he) doing	עוֹשֶׂה

דָּנִי: יוֹנִית! אֵיפֹה אוּרִי הַיּוֹם?

יוֹנִית: הַיּוֹם שַׁבָּת. אוּרִי בְּבֵית־הַכְּנֶסֶת

דָּנִי: מַה שֵּׁם בֵּית־הַכְּנֶסֶת?

יוֹנִית: שֵׁם בֵּית־הַכְּנֶסֶת – "מוֹרִיָּה".

דָּנִי: מָה עוֹשֶׂה אוּרִי בְּבֵית־הַכְּנֶסֶת?

יוֹנִית: בְּבֵית־הַכְּנֶסֶת אוּרִי קוֹרֵא בַּסִּדּוּר.

דָּנִי: אֵיפֹה רִיבָה הַיּוֹם?

יוֹנִית: גַּם רִיבָה בְּבֵית־הַכְּנֶסֶת.
גַּם רִיבָה קוֹרֵאת בַּסִּדּוּר

דָּנִי: מַה שֵּׁם הַחַזָּן שֶׁל בֵּית־הַכְּנֶסֶת "מוֹרִיָּה"?

יוֹנִית: שֵׁם הַחַזָּן שְׁמוּאֵל נַחְמָנִי.

דָּנִי: אֵיפֹה הַחַזָּן?

יוֹנִית: הַחַזָּן אֵצֶל אֲרוֹן־הַקֹּדֶשׁ.

דָּנִי: מָה עוֹשֶׂה הַחַזָּן? גַּם הַחַזָּן קוֹרֵא בַּסִּדּוּר?

יוֹנִית: לֹא! לֹא בַּסִּדּוּר! הַחַזָּן קוֹרֵא בַּתּוֹרָה.

101

ב VET	**ו** VAV
sound-alikes	Has the sound of **V**

PHONIC READING

1. וָ וַ וֶ וִ וִי
2. וֹ וּ וֻ וֵ וֵי
3. בָ בַ בֶ בִ בִי
4. בֹ בוּ בֻ בֵ בֵי
5. טָבַע טָוָה תָּבִיא קָבָה
6. מֵבִיא קַוֵה אָבֹה עָוֹה
7. לָבֹא לָוֹה הוָֹה אִוָה

1. מִיץ עָצִיץ צָפוּ קֵץ
2. אֵצֶל לֵצִים דַפִּים חוֹף
3. צִוָּה שִׁוָּה אָבִיתִי עָוִיתִי
4. צִוִּיתִי קִוִּיתִי לָוִינוּ קִוִּינוּ
5. אִוִּינוּ תַאֲוָה חָוָרוּ צָבָרוּ

PHRASE READING

1. מְחַכֵּי קֵץ יְשׁוּעָתוֹ.
2. שֶׁחָטָאתִי וְשֶׁעָוִיתִי.
3. תּוֹרָה צִוָּה לָנוּ מֹשֶׁה.
4. וְצִוָּנוּ עַל מִצְוַת צִיצִית.
5. לְהַדְלִיק נֵר שֶׁל שַׁבָּת.
6. לְהַדְלִיק נֵר שֶׁל חֲנֻכָּה.
7. לֵישֵׁב בַּסֻּכָּה.
8. עַל נְטִילַת לוּלָב.
9. וְשָׁמְרוּ בְנֵי יִשְׂרָאֵל אֶת הַשַּׁבָּת.

הַמִּשְׁקֶפֶת

telescope (f.)	מִשְׁקֶפֶת
moon (m.)	יָרֵחַ
rocket (f.)	רַקֶטָה
(he) looks (m.)	מַבִּיט
(she) looks (f.)	מַבִּיטָה

לְאוּרִי מִשְׁקֶפֶת.

אוּרִי מַבִּיט בַּמִּשְׁקֶפֶת.

אֶל מַה מַבִּיט אוּרִי?

אוּרִי מַבִּיט אֶל הַיָּרֵחַ.

גַּם רִיבָה מַבִּיטָה בַּמִּשְׁקֶפֶת.

אֶל מַה מַבִּיטָה רִיבָה?

רִיבָה לֹא מַבִּיטָה אֶל הַיָּרֵחַ.

רִיבָה מַבִּיטָה אֶל רַקֶטָה

אוּרִי מַבִּיט אֶל הַיָּרֵחַ.

רִיבָה מַבִּיטָה אֶל רַקֶטָה.

104

vowels of shorter length

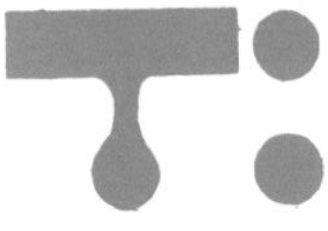

Has the sound of AW

CHATAF KAMATZ

Has the sound of AH

CHATAF PATACH

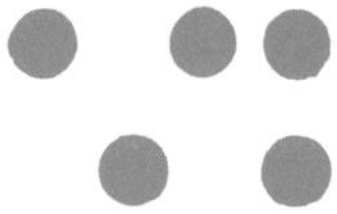

Has the sound of EH

CHATAF SEGOL

PHONIC READING

1. אֲרִי הֲדַס חֲזִיר עֲבוֹט אֱגוֹז
2. אֱנוֹשׁ אֳנִיָּה הֲדֹם הֲמוֹן הֲלֹם
3. חֲנִית חֲגוֹרָה חֲסִידָה עֲגָלָה
4. עֲטָרָה עֲרוּגָה אֲרוּסָה אֲכִילָה

PHRASE READING

1. הַשָּׁמַיִם כִּסְאִי.
2. עַל אֲכִילַת מַצָּה.
3. אֱמֶת וֶאֱמוּנָה כָּל זֹאת.
4. וּפְרוֹשׂ עָלֵינוּ סֻכַּת שְׁלוֹמֶךָ.

הַטֵלֵוִיזְיָה

broadcast	שִׁדּוּר	room (m.)	חֶדֶר
from	מֵ –	television	טֵלֵוִיזְיָה
rocket (f.)	רָקֶטָה	moon (m.)	יָרֵחַ
		(he) looks (m.)	מִסְתַּכֵּל
		sits (m.)	יוֹשֵׁב
		sits (f.)	יוֹשֶׁבֶת
		picture (f.)	תְּמוּנָה
		is there ?	הֲיֵשׁ
		Israeli	יִשְׂרְאֵלִית

אַבָּא: שָׂרָה! מִי בַּחֲדַר הַטֵלֵוִיזְיָה?

אִמָּא: אוּרִי, אוּרִי בַּחֲדַר הַטֵלֵוִיזְיָה.

אַבָּא: בְּמָה מִסְתַּכֵּל אוּרִי?

אִמָּא: אוּרִי מִסְתַּכֵּל בַּ"שִׁדּוּר מֵהַיָּרֵחַ".

אַבָּא: מַה שֵׁם הַשִּׁדּוּר?

אִמָּא: שֵׁם הַשִּׁדּוּר – "הָרָקֶטָה הַיִּשְׂרְאֵלִית".

אוּרִי: כֵּן אִמָּא! הִנֵּה הָרָקֶטָה עַל הַיָּרֵחַ,
הָרָקֶטָה – רָקֶטָה יִשְׂרְאֵלִית.

אַבָּא: הֲיֵשׁ תּוֹרָה בָּרָקֶטָה הַיִּשְׂרְאֵלִית?

אוּרִי: כֵּן! כֵּן! כֵּן! בָּרָקֶטָה יֵשׁ אֲרוֹן־קֹדֶשׁ,
וּבָאֲרוֹן־הַקֹּדֶשׁ יֵשׁ תּוֹרָה.

SHOOROOK

וּ = אוּ

Has the sound of
OO
as in "moon"

PHONIC READING

1. וּמִי וּמֵבִיא וּמָגֵן וּמַתִּיר
2. וּבְכָל וּשְׁמוֹר וּמְקַיֵּם וּמְחַיֶּה
3. וּמַצִּילֵנוּ וּמְקוֹם וּתְנוּמָה וּבוֹאֵנוּ
4. שְׁמַע קְרַע קְרָא בְּרָא
5. מְמִי מְמוֹ נָטוּ לוּטָה

PHRASE READING

1. וּמֵבִיא גוֹאֵל לִבְנֵי בְנֵיהֶם.
2. וּשְׁמֹר צֵאתֵנוּ וּבֹאֵנוּ.
3. בְּשִׁבְתְּךָ בְּבֵיתֶךָ.
4. אֵל מֶלֶךְ נֶאֱמָן.

חֲזָרָה REVIEW

1. זַיִת זֶה זֹאת מְזוּזוֹת זֵר
2. זְכַרְתֶּם זוּלָתוֹ זֶמֶר מָזוֹן
3. זַמְּרוּ אֲזַי הָעֹז הַזָּן
4. תִּזְכְּרוּ זֵכֶר מִזְמוֹר רָצוֹן
5. יְצִיר אֲזַי תִּפְאָרָה הָעֹז
6. וְאַל וָעֶד בְּרִית אֲזַי וְהוּא
7. וְלוֹ וְצוּר וְחַי וְאָעִירָה וְזוֹקֵף
8. שַׁוְעָתָם וְאֶת וַחֲסִידֶיךָ
9. וְיוֹשִׁיעֵם אֹהֲבָיו וִיבָרֵךְ וְעַד
10. וּמִי וּמֵבִיא וּמוֹשִׁיעַ וּמָגֵן

1. שָׂפָה עִפָּרוֹן וּפוֹדֶה נֶפֶשׁ
2. גְּמִילַת מִשְׁכַּן לִפְנֵי נִבְרָא
3. אָהַבְתִּי מְעוֹן כְּבוֹדֶךָ אִישַׁן
4. נַעֲשָׂה נִקְרָא בְּתִפְאָרָה לֹא
5. גְּאֲלִי חֶבְלִי נִסִּי וּמָנוֹס מְנָת
6. וּמַתִּיר וּבְכָל וּשְׁמוֹר וּמְקַיֵּם
7. וּמְחַיֶּה וּמַצְמִיחַ וּמַצִּילֵנוּ

PHRASE READING

1. עַל מְזֻזוֹת בֵּיתֶךָ וּבִשְׁעָרֶיךָ.
2. בִּרְכַּת הַמָּזוֹן.
3. וּמֵכִין מָזוֹן לְכָל בְּרִיּוֹתָיו.
4. עֲצֵי זַיִת עוֹמְדִים.
5. גְּמִילַת חֲסָדִים.
6. וְצוּר חֶבְלִי בְּעֵת צָרָה.
7. בְּעֵת אִישַׁן וְאָעִירָה.

גַּן־הַחַיּוֹת

Zoo (m.)	גַּן־הַחַיּוֹת
monkey	קוֹף
(he) goes, walks (m.)	הוֹלֵךְ
(she) goes, walks (f.)	הוֹלֶכֶת
Where to ?	לְאָן
and	וְ

יוֹנִית : דָּוִד! לְאָן הוֹלֵךְ אוּרִי?

דָּוִד: אוּרִי הוֹלֵךְ לְגַן־הַחַיּוֹת.

יוֹנִית : לְאָן הוֹלֶכֶת רִיבָה?

דָּוִד: גַּם רִיבָה הוֹלֶכֶת לְגַן־הַחַיּוֹת.

יוֹנִית : וּלְאָן הוֹלֵךְ "קוּפִּי" הַקּוֹף שֶׁל אוּרִי וְרִיבָה?

דָּוִד: "קוּפִּי" הוֹלֵךְ אֶל הַאַבָּא־קוֹף וְאֶל הַאִמָּא־קוֹף.

יוֹנִית : אֵיפֹה אַבָּא וְאִמָּא שֶׁל "קוּפִּי"?

דָּוִד: אַבָּא וְאִמָּא שֶׁל "קוּפִּי" בְּגַן־הַחַיּוֹת.

אוּרִי: קוּפִּי! הִנֵּה אַבָּא וְאִמָּא!

רִבָּה: אוּרִי! אַבָּא שֶׁל "קוּפִּי" קוֹרֵא סֵפֶר.

הָאַבָּא־קוֹף קוֹרֵא סֵפֶר

אוּרִי: מַה שֵּׁם הַסֵּפֶר?

רִבָּה: שֵׁם הַסֵּפֶר – "טַרְזַן וְהַקּוֹף".

ENGLISH-HEBREW DICTIONARY.

A

Also (69) גַּם

B

Belongs to (73) שֶׁל

Bench (m.) (106) סַפְסָל

Blackboard (m.) (66) לוּחַ

Book (m.) (81) סֵפֶר

Boy (45) יֶלֶד

Broadcast (106) שִׁדּוּר

But (93) אֲבָל

C

Cantor (101) חַזָּן

Chalk (m.) (69) גִּיר

Comes (m.) (7) בָּא

Comes (f.) (14) בָּאָה

D

Daughter (78) בַּת

Day (m.) (53) יוֹם

Doing (101) עוֹשֶׂה

E

F

Father (7) אַבָּא

From (106) מֵ

G

Girl (45) יַלְדָּה

Goes (m.) (110) הוֹלֵךְ

Goes (f.) (110) הוֹלֶכֶת

Goodbye (37) שָׁלוֹם

Good Sabbath (37) שַׁבַּת שָׁלוֹם

Greeting (37) שָׁלוֹם

H

Hebrew (m.) (48) עִבְרִי

Hebrew (f.) (48) עִבְרִיָּה

Hebrew Language (f.) (50) עִבְרִית

P

Peace (37) שָׁלוֹם

Pen (m.) (88) עֵט

Pencil (m.) (81) עִפָּרוֹן

Picture (f.) (106) תְּמוּנָה

Prayer Book (m.) (53) סִדּוּר

Prayer over wine (61) קִדּוּשׁ

Q

R

Rabbi (98) רַבִּי

Reads (m.) (50) קוֹרֵא

Reads (f.) (50) קוֹרֵאת

Rocket (f.) (104) רַקֶּטָה

Room (m.) (106) חֶדֶר

S

Sabbath (f.) (37) שַׁבָּת

School (m.) (81) בֵּית־הַסֵּפֶר

Siddur (m.) (53) סִדּוּר

Sits (m.) (106) יוֹשֵׁב

Sits (f.) (106) יוֹשֶׁבֶת

Son (78) בֵּן

T

Teacher (f.) (25) מוֹרָה

Teacher (m.) (21) מוֹרֶה

Telescope (f.) (104) מִשְׁקֶפֶת

Television (m.) (106) טֶלֶוִיזְיָה

Temple (m.) (95) בֵּית־הַכְּנֶסֶת

Thanks (93) תּוֹדָה

Hello (37) שָׁלוֹם

Here is, here are (93) הִנֵּה

Holy Ark (m.) (95) אֲרוֹן־הַקֹּדֶשׁ

Homework (88) עֲבוֹדַת־בַּיִת

House (m.) (27) בַּיִת

I

In the (27) בַּ

In what (88) בְּמַה

Israel (63) יִשְׂרָאֵל

K

Kiddush (61) קִדּוּשׁ

L

Letter (m.) (63) מִכְתָּב

Looks (m.) (104) מַבִּיט

Looks (f.) (104) מַבִּיטָה

M

Monkey (110) קוֹף

Moon (m.) (104) יָרֵחַ

Mother (14) אִמָּא

N

Name (m.) (35) שֵׁם

Near (101) אֵצֶל

No, is not (19) לֹא

Notebook (89) מַחְבֶּרֶת

O

Of (73) שֶׁל

On, over (66) עַל

What, what is (35) מַה

Where, where is (110) לְאָן

Who (11) מִי

With the (69) בַּ

With what (81) בַּמֶּה, בְּמָה

Writes (m.) (56) כּוֹתֵב

Writes (f.) (56) כּוֹתֶבֶת

X

Y

Z

Zoo (m.) (110) גַּן־הַחַיּוֹת

The (21) הַ

To (63) לְ

To (48) אֶל

Today (53) הַיּוֹם

Torah (f.) (50) תּוֹרָה

U

V

W

Walks (m.) (110) הוֹלֵךְ

Walks (f.) (110) הוֹלֶכֶת

Watches (m.) (106) מִסְתַּכֵּל

Where is, where? (106) אֵיפֹה
אַיֵּה

HEBREW-ENGLISH DICTIONARY

א

Father	(7)	אַבָּא
But	(93)	אֲבָל
Where, where is	(39)	אַיֵּה
To	(48)	אֶל
Where, where is		אֵיפֹה
Or		אוֹ
Mother	(14)	אִמָּא
Near	(101)	אֵצֶל
Holy Ark	(95)	אֲרוֹן־הַקֹּדֶשׁ

בּ

In the	(27)	בַּ
With the	(69)	בַּ
Comes (m.)	(7)	בָּא
Comes (f.)	(14)	בָּאָה
House (m.)	(27	בַּיִת
Temple (m.)	(95)	בֵּית־הַכְּנֶסֶת
School (m.)	(81)	בֵּית־הַסֵּפֶר
With what	(81)	בַּמֶּה
In what		בְּמָה
Son	(78)	בֵּן
Daughter	(78)	בַּת

ג

Chalk	(69)	גִּיר
Also	(69)	גַּם
Zoo (m.)	(110)	גַּן־הַחַיּוֹת

ד

ה

The	(21)	הַ
Goes, walks (m.)	(110)	הוֹלֵךְ
Goes, walks (f.)	(110)	הוֹלֶכֶת
Today	(53)	הַיּוֹם
Here is, here are	(93)	הִנֵּה

ו

ז

ח

Room	(106)	חֶדֶר
Cantor	(101)	חַזָּן

ט

Television	(106)	טֶלֶבִיזְיָה

י

Day (m.)	(53)	יוֹם
Sits (m.)	(106)	יוֹשֵׁב
Sits (f.)	(106)	יוֹשֶׁבֶת
Boy	(45)	יֶלֶד
Girl	(45)	יַלְדָּה
Moon (m.)	(104)	יָרֵחַ
Israel	(63)	יִשְׂרָאֵל

כ

Writes (m.)	(56)	כּוֹתֵב
Writes (f.)	(56)	כּוֹתֶבֶת

ל

To	(63)	לְ
No, is not	(19)	לֹא
Where to	(110)	לְאָן
Blackboard (m.)	(66)	לוּחַ

מ

From	(106)	מֵ
Looks (m.)	(104)	מַבִּיט
Looks (f.)	(104)	מַבִּיטָה
What, what is	(35)	מַה
Teacher (m.)	(21)	מוֹרֶה
Notebook (f.)	(89)	מַחְבֶּרֶת
Who	(11)	מִי
Letter (m.)	(63)	מִכְתָּב
Telescope (f.)	(104)	מִשְׁקֶפֶת
Watches (m.)	(106)	מִסְתַּכֵּל
Teacher (f.)	(21)	מוֹרָה

ס

Siddur, prayer book (m.)	(53)	סִדּוּר
Bench (m.)	(106)	סַפְסָל
Book (m.)	(81)	סֵפֶר

ע

Homework	(88)	עֲבוֹדַת־בַּיִת
Hebrew (m.)	(48)	עִבְרִי
Hebrew (f.)	(48)	עִבְרִיָּה
Hebrew Language (f.)	(50)	עִבְרִית
Doing	(101)	עוֹשֶׂה
Pen (m.)	(88)	עֵט
On, over	(66)	עַל
Pencil (m.)	(81)	עִפָּרוֹן

ק

Kiddush, prayer over wine	(61)	קִדּוּשׁ

Name (35) שֵׁם

Of, belongs to (73) שֶׁל

Peace, Hello, Goodbye, Greeting (37) שָׁלוֹם

שׁ

broadcast שִׁדּוּר

ת

Thanks (93) תּוֹדָה

Torah (f.) (50) תּוֹרָה

Picture (f.) (106) תְּמוּנָה

Monkey (110) קוֹף

Reads (m.) (50) קוֹרֵא

Reads (f.) (50) קוֹרֵאת

ר

Rabbi (98) רַבִּי

Rocket (f.) (104) רַקֶטָה

שׁ

Sabbath (f.) (37) שַׁבָּת

Good Sabbath (37) שַׁבַּת שָׁלוֹם

Broadcast (106) שדור

Blessing to be recited upon eating hallah, or bread:

בָּרוּךְ אַתָּה יְיָ, אֱלֹהֵינוּ מֶלֶךְ הָעוֹלָם,
הַמּוֹצִיא לֶחֶם מִן הָאָרֶץ.

Praised be You, O Lord   בָּרוּךְ אַתָּה אֲדֹנָי

our God, King of the universe   אֱלֹהֵינוּ מֶלֶךְ הָעוֹלָם

who brings forth bread
from the earth.   הַמּוֹצִיא לֶחֶם מִן הָאָרֶץ.

Blessing to be recited upon drinking wine.

בָּרוּךְ אַתָּה יְיָ, אֱלֹהֵינוּ מֶלֶךְ הָעוֹלָם, בּוֹרֵא
פְּרִי הַגָּפֶן.

Praised be You, O Lord   בָּרוּךְ אַתָּה אֲדֹנָי

our God, King of the universe   אֱלֹהֵינוּ מֶלֶךְ הָעוֹלָם

who creates the fruit of the vine.   בּוֹרֵא פְּרִי הַגָּפֶן.

Blessing to be recited upon lighting the Sabbath candles.

בָּרוּךְ אַתָּה יְיָ, אֱלֹהֵינוּ מֶלֶךְ הָעוֹלָם, אֲשֶׁר קִדְּשָׁנוּ
בְּמִצְוֹתָיו, וְצִוָּנוּ לְהַדְלִיק נֵר שֶׁל שַׁבָּת:

Praised (blessed) be You, O Lord,   בָּרוּךְ אַתָּה אֲדֹנָי

our God, King of the universe   אֱלֹהֵינוּ מֶלֶךְ הָעוֹלָם,

who sanctified us with His commandments   אֲשֶׁר קִדְּשָׁנוּ בְּמִצְוֹתָיו

and commanded us   וְצִוָּנוּ

to light the Sabbath candle.   לְהַדְלִיק נֵר שֶׁל שַׁבָּת.

Blessing to be recited on lighting the Rosh Hashanah candles:

בָּרוּךְ אַתָּה יְיָ, אֱלֹהֵינוּ מֶלֶךְ הָעוֹלָם, אֲשֶׁר
קִדְּשָׁנוּ בְּמִצְוֹתָיו, וְצִוָּנוּ לְהַדְלִיק נֵר שֶׁל
(לשבת שַׁבָּת וְ) יוֹם טוֹב.

118

Blessing to be recited before the blowing of the shofar:

בָּרוּךְ אַתָּה יְיָ, אֱלֹהֵינוּ מֶלֶךְ הָעוֹלָם, אֲשֶׁר קִדְּשָׁנוּ בְּמִצְוֹתָיו, וְצִוָּנוּ לִשְׁמוֹעַ קוֹל שׁוֹפָר.

PHRASE TRANSLATION

Praised (blessed) be You, O Lord,	בָּרוּךְ אַתָּה אֲדֹנָי
our God, King of the universe,	אֱלֹהֵינוּ מֶלֶךְ הָעוֹלָם,
who made us holy by His commandments,	אֲשֶׁר קִדְּשָׁנוּ בְּמִצְוֹתָיו
and commanded us	וְצִוָּנוּ
to hear the sound of the Shofar.	לִשְׁמוֹעַ קוֹל שׁוֹפָר.

A Rosh Hashanah and Yom Kippur prayer:

אָבִינוּ מַלְכֵּנוּ שְׁמַע קוֹלֵנוּ.
אָבִינוּ מַלְכֵּנוּ חַדֵּשׁ עָלֵינוּ שָׁנָה טוֹבָה.

PHRASE TRANSLATION

Our Father, our King,	אָבִינוּ מַלְכֵּנוּ,
hear our voice (plea).	שְׁמַע קוֹלֵנוּ.
Our Father, our King,	אָבִינוּ מַלְכֵּנוּ,
renew for us	חַדֵּשׁ עָלֵינוּ

Rosh Hashanah greeting:

לְשָׁנָה טוֹבָה תִּכָּתֵבוּ:

PHRASE TRANSLATION

For a good year	לְשָׁנָה טוֹבָה
may you be inscribed.	תִּכָּתֵבוּ.

119

We thank God for granting us continued life and good health, enabling us to reach this festive occasion.

בָּרוּךְ אַתָּה יְיָ, אֱלֹהֵינוּ מֶלֶךְ הָעוֹלָם,
שֶׁהֶחֱיָנוּ, וְקִיְּמָנוּ, וְהִגִּיעָנוּ לַזְּמַן הַזֶּה:

Praised (blessed) be You, O Lord	בָּרוּךְ אַתָּה אֲדֹנָי
our God, King of the universe	אֱלֹהֵינוּ מֶלֶךְ הָעוֹלָם
who kept us alive and sustained us	שֶׁהֶחֱיָנוּ וְקִיְּמָנוּ
and let us reach this season.	וְהִגִּיעָנוּ לַזְּמַן הַזֶּה.

Blessing to be recited on lighting the Yom Kippur candles:

בָּרוּךְ אַתָּה אֲדֹנָי (יְיָ), אֱלֹהֵינוּ מֶלֶךְ הָעוֹלָם,
אֲשֶׁר קִדְּשָׁנוּ בְּמִצְוֹתָיו, וְצִוָּנוּ לְהַדְלִיק נֵר
שֶׁל (שַׁבָּת וְ) יוֹם הַכִּפּוּרִים.

Praised (blessed) be You, O Lord,	בָּרוּךְ אַתָּה אֲדֹנָי,
our God, King of the universe,	אֱלֹהֵינוּ מֶלֶךְ הָעוֹלָם,
who made us holy by His commandments,	אֲשֶׁר קִדְּשָׁנוּ בְּמִצְוֹתָיו,
and commanded us to light	וְצִוָּנוּ לְהַדְלִיק
the candle of Yom Kippur.	נֵר שֶׁל יוֹם הַכִּפּוּרִים.

A prayer for forgiveness:

עַל חֵטְא שֶׁחָטָאנוּ לְפָנֶיךָ בְּזִלְזוּל הוֹרִים
וּמוֹרִים.

120

For the sin	עַל חֵטְא
which we have sinned before You	שֶׁחָטָאנוּ לְפָנֶיךָ
by showing disrespect for parents and	בְּזִלְזוּל הוֹרִים וּמוֹרִים.

Blessing to be recited in the sukkah:

בָּרוּךְ אַתָּה יְיָ, אֱלֹהֵינוּ מֶלֶךְ הָעוֹלָם,
אֲשֶׁר קִדְּשָׁנוּ בְּמִצְוֹתָיו וְצִוָּנוּ לֵישֵׁב בַּסֻּכָּה.

Praised (blessed) be You, O Lord	בָּרוּךְ אַתָּה אֲדֹנָי
our God, King of the universe,	אֱלֹהֵינוּ מֶלֶךְ הָעוֹלָם,
who made us holy by His commandments	אֲשֶׁר קִדְּשָׁנוּ בְּמִצְוֹתָיו
and commanded us	וְצִוָּנוּ
to sit in the sukkah.	לֵישֵׁב בַּסֻּכָּה.

Blessing to be recited over the "Four Kinds":

בָּרוּךְ אַתָּה יְיָ, אֱלֹהֵינוּ מֶלֶךְ הָעוֹלָם, אֲשֶׁר
קִדְּשָׁנוּ בְּמִצְוֹתָיו, וְצִוָּנוּ עַל נְטִילַת לוּלָב.

Praised (blessed) be You, O Lord,	בָּרוּךְ אַתָּה אֲדֹנָי
our God, King of the universe,	אֱלֹהֵינוּ מֶלֶךְ הָעוֹלָם
who made us holy by His commandments,	אֲשֶׁר קִדְּשָׁנוּ בְּמִצְוֹתָיו,
and commanded us	וְצִוָּנוּ
concerning the taking (waving) of the lulav,	עַל נְטִילַת לוּלָב.

SIMHAT TORAH

אָנָּא יְיָ, הוֹשִׁיעָה נָּא,
אָנָּא יְיָ, הַצְלִיחָה נָּא,
אָנָּא יְיָ, עֲנֵנוּ בְיוֹם קָרְאֵנוּ.

121

Please, O Lord,	אָנָּא אֲדֹנָי,
save us,	הוֹשִׁיעָה נָּא.
Please, O Lord,	אָנָּא אֲדֹנָי,
prosper us,	הַצְלִיחָה נָא.
Please, O Lord,	אָנָּא אֲדֹנָי,
answer us	עֲנֵנוּ
in the day that we call.	בְיוֹם קָרְאֵנוּ.

שִׂישׂוּ וְשִׂמְחוּ בְּשִׂמְחַת תּוֹרָה,
וּתְנוּ כָבוֹד לַתּוֹרָה.

Rejoice and be happy	שִׂישׂוּ וְשִׂמְחוּ
on Simhat Torah,	בְּשִׂמְחַת תּוֹרָה,
and render glory to the Torah.	וּתְנוּ כָבוֹד לַתּוֹרָה.

כִּי מִצִּיּוֹן תֵּצֵא תוֹרָה וּדְבַר יְיָ מִירוּשָׁלָיִם.

Because out of Zion	כִּי מִצִּיּוֹן
shall go forth the Torah	תֵּצֵא תוֹרָה,
and the word of the Lord	וּדְבַר אֲדֹנָי
out of Jerusalem.	מִירוּשָׁלָיִם.

Blessings to be recited on lighting the Hanukah candles:

בָּרוּךְ אַתָּה יְיָ, אֱלֹהֵינוּ מֶלֶךְ הָעוֹלָם, אֲשֶׁר קִדְּשָׁנוּ בְּמִצְוֹתָיו, וְצִוָּנוּ לְהַדְלִיק נֵר שֶׁל חֲנֻכָּה:

בָּרוּךְ אַתָּה יְיָ, אֱלֹהֵינוּ מֶלֶךְ הָעוֹלָם, שֶׁעָשָׂה
נִסִּים לַאֲבוֹתֵינוּ, בַּיָּמִים הָהֵם, בַּזְּמַן הַזֶּה:

PHRASE TRANSLATION

Praised be you, O Lord,	בָּרוּךְ אַתָּה אֲדֹנָי,
Our God, King of the universe,	אֱלֹהֵינוּ מֶלֶךְ הָעוֹלָם
who performed miracles	שֶׁעָשָׂה נִסִּים
for our fathers	לַאֲבוֹתֵינוּ
in those days	בַּיָּמִים הָהֵם
at this season.	בַּזְּמַן הַזֶּה.

The following blessing is recited only on the first evening of Hanukah:

בָּרוּךְ אַתָּה יְיָ, אֱלֹהֵינוּ מֶלֶךְ הָעוֹלָם,
שֶׁהֶחֱיָנוּ וְקִיְּמָנוּ, וְהִגִּיעָנוּ לַזְּמַן הַזֶּה.

PASSOVER

Blessing to be recited on eating the parsley:

בָּרוּךְ אַתָּה יְיָ, אֱלֹהֵינוּ מֶלֶךְ הָעוֹלָם,
בּוֹרֵא פְּרִי הָאֲדָמָה.

PHRASE TRANSLATION

Praised (blessed) be You, O Lord,	בָּרוּךְ אַתָּה אֲדֹנָי
our God, King of the universe	אֱלֹהֵינוּ מֶלֶךְ הָעוֹלָם
creator of the fruit of the ground.	בּוֹרֵא פְּרִי הָאֲדָמָה.

123

Blessings to be recited on eating the matzah:

בָּרוּךְ אַתָּה יְיָ, אֱלֹהֵינוּ מֶלֶךְ הָעוֹלָם,
הַמּוֹצִיא לֶחֶם מִן הָאָרֶץ.

בָּרוּךְ אַתָּה יְיָ, אֱלֹהֵינוּ מֶלֶךְ הָעוֹלָם, אֲשֶׁר
קִדְּשָׁנוּ בְּמִצְוֹתָיו, וְצִוָּנוּ עַל אֲכִילַת מַצָּה.

PHRASE TRANSLATION

Praised (blessed) be You, O Lord,	בָּרוּךְ אַתָּה אֲדֹנָי
our God, King of the universe	אֱלֹהֵינוּ מֶלֶךְ הָעוֹלָם
who made us holy by His commandments	אֲשֶׁר קִדְּשָׁנוּ בְּמִצְוֹתָיו
and commanded us	וְצִוָּנוּ
concerning the eating of the bitter herbs.	עַל אֲכִילַת מָרוֹר.

The person who is called to the reading of the Torah recites the following blessing:

בָּרְכוּ אֶת־יְיָ הַמְבֹרָךְ:

The Congregation responds:

בָּרוּךְ יְיָ הַמְבֹרָךְ לְעוֹלָם וָעֶד:

The person who is called to the Torah repeats:

בָּרוּךְ יְיָ הַמְבֹרָךְ לְעוֹלָם וָעֶד:

PHRASE TRANSLATION

Bless (praise) the Lord,	בָּרְכוּ אֶת אֲדֹנָי
who is to be blessed (praised).	הַמְבֹרָךְ.
Blessed (praised) be the Lord	בָּרוּךְ אֲדֹנָי
who is to be blessed (praised)	הַמְבֹרָךְ
forever and ever.	לְעוֹלָם וָעֶד.

124

The person who has been called to the Torah continues by reciting the following blessing:

בָּרוּךְ אַתָּה יְיָ אֱלֹהֵינוּ מֶלֶךְ הָעוֹלָם. אֲשֶׁר
בָּחַר־בָּנוּ מִכָּל־הָעַמִּים וְנָתַן־לָנוּ אֶת־
תּוֹרָתוֹ. בָּרוּךְ אַתָּה יְיָ, נוֹתֵן הַתּוֹרָה: Cong. אָמֵן

Praised be you, O Lord,	בָּרוּךְ אַתָּה אֲדֹנָי,
Our God, King of the universe,	אֱלֹהֵינוּ מֶלֶךְ הָעוֹלָם,
who chose us	אֲשֶׁר בָּחַר בָּנוּ
from all peoples	מִכָּל הָעַמִּים,
and gave us His Torah.	וְנָתַן לָנוּ אֶת תּוֹרָתוֹ.
Blessed (praised) be You, O Lord	בָּרוּךְ אַתָּה אֲדֹנָי,
Giver of the Torah.	נוֹתֵן הַתּוֹרָה.

This second blessing is recited after the Torah portion has been read:

בָּרוּךְ אַתָּה יְיָ, אֱלֹהֵינוּ מֶלֶךְ הָעוֹלָם, אֲשֶׁר
נָתַן לָנוּ תּוֹרַת אֱמֶת, וְחַיֵּי עוֹלָם נָטַע בְּתוֹכֵנוּ.
בָּרוּךְ אַתָּה יְיָ, נוֹתֵן הַתּוֹרָה.

PHRASE TRANSLATION

Praised (blessed) be You, O Lord,	בָּרוּךְ אַתָּה אֲדֹנָי,
Who gave us	אֲשֶׁר נָתַן לָנוּ
the Torah of truth	תּוֹרַת אֱמֶת,
and eternal life	וְחַיֵּי עוֹלָם
He planted within us.	נָטַע בְּתוֹכֵנוּ.
Blessed (praised) be You, O Lord	בָּרוּךְ אַתָּה אֲדֹנָי
Giver of the Torah.	נוֹתֵן הַתּוֹרָה.

125

KIDDUSH for Sabbath

When the festival begins on the Sabbath begin here:

וַיְהִי עֶרֶב, וַיְהִי בֹקֶר יוֹם הַשִּׁשִּׁי.
וַיְכֻלּוּ הַשָּׁמַיִם וְהָאָרֶץ וְכָל צְבָאָם.

And it was evening,	וַיְהִי עֶרֶב,
and it was morning,	וַיְהִי בֹקֶר,
the sixth day.	יוֹם הַשִּׁשִּׁי.
And they were finished	וַיְכֻלּוּ
the heaven and the earth	הַשָּׁמַיִם וְהָאָרֶץ
and all their host (satellites).	וְכָל צְבָאָם.

KIDDUSH for Sabbath   **continued**

וַיְכַל אֱלֹהִים בַּיּוֹם הַשְּׁבִיעִי מְלַאכְתּוֹ אֲשֶׁר
עָשָׂה. וַיִּשְׁבֹּת בַּיּוֹם הַשְּׁבִיעִי מִכָּל מְלַאכְתּוֹ
אֲשֶׁר עָשָׂה.
וַיְבָרֶךְ אֱלֹהִים אֶת יוֹם הַשְּׁבִיעִי וַיְקַדֵּשׁ אוֹתוֹ,
כִּי בוֹ שָׁבַת מִכָּל מְלַאכְתּוֹ, אֲשֶׁר בָּרָא
אֱלֹהִים לַעֲשׂוֹת.

PHRASE TRANSLATION

And God finished	וַיְכַל אֱלֹהִים
on the seventh day	בַּיּוֹם הַשְּׁבִיעִי
His work which He had done.	מְלַאכְתּוֹ אֲשֶׁר עָשָׂה.
And He rested on the seventh day	וַיִּשְׁבֹּת בַּיּוֹם הַשְּׁבִיעִי

126

from all His Work	מִכָּל מְלַאכְתּוֹ
which He had done.	אֲשֶׁר עָשָׂה.
And God blessed	וַיְבָרֶךְ אֱלֹהִים
the seventh day	אֶת יוֹם הַשְּׁבִיעִי
and made it holy,	וַיְקַדֵּשׁ אוֹתוֹ,
because He rested on it	כִּי בוֹ שָׁבַת
from all His work	מִכָּל מְלַאכְתּוֹ
which God had created and made.	אֲשֶׁר בָּרָא אֱלֹהִים לַעֲשׂוֹת.

KIDDUSH for Sabbath   **continued**

On Bread: —	*On Wine: —*
בִּרְשׁוּת מָרָנָן וְרַבּוֹתַי:	סַבְרִי מָרָנָן וְרַבּוֹתַי:
בָּרוּךְ אַתָּה יְיָ,	בָּרוּךְ אַתָּה יְיָ,
אֱלֹהֵינוּ מֶלֶךְ הָעוֹלָם,	אֱלֹהֵינוּ מֶלֶךְ הָעוֹלָם,
הַמּוֹצִיא לֶחֶם מִן הָאָרֶץ:	בּוֹרֵא פְּרִי הַגָּפֶן:

בָּרוּךְ אַתָּה יְיָ, אֱלֹהֵינוּ מֶלֶךְ הָעוֹלָם, אֲשֶׁר
קִדְּשָׁנוּ בְּמִצְוֹתָיו וְרָצָה בָנוּ, וְשַׁבַּת קָדְשׁוֹ
בְּאַהֲבָה וּבְרָצוֹן הִנְחִילָנוּ, זִכָּרוֹן לְמַעֲשֵׂה
בְרֵאשִׁית.

and looked with favor on us	וְרָצָה בָנוּ,
and His holy Sabbath	וְשַׁבַּת קָדְשׁוֹ
with love and with favor	בְּאַהֲבָה וּבְרָצוֹן
He has bequeathed to us,	הִנְחִילָנוּ,
a memorial of the creation.	זִכָּרוֹן לְמַעֲשֵׂה בְרֵאשִׁית.

127

KIDDUSH for Sabbath

כִּי הוּא יוֹם תְּחִלָּה לְמִקְרָאֵי קֹדֶשׁ, זֵכֶר
לִיצִיאַת מִצְרָיִם, כִּי בָנוּ בָחַרְתָּ וְאוֹתָנוּ
קִדַּשְׁתָּ מִכָּל הָעַמִּים, וְשַׁבַּת קָדְשְׁךָ בְּאַהֲבָה
וּבְרָצוֹן הִנְחַלְתָּנוּ. בָּרוּךְ אַתָּה יְיָ, מְקַדֵּשׁ
הַשַּׁבָּת.

Because it is the day of the beginning	כִּי הוּא יוֹם תְּחִלָּה
of the gatherings of holiness,	לְמִקְרָאֵי קֹדֶשׁ,
a reminder of the Exodus from Egypt.	זֵכֶר לִיצִיאַת מִצְרָיִם.
For You have chosen us	כִּי בָנוּ בָחַרְתָּ
and You have sanctified us	וְאוֹתָנוּ קִדַּשְׁתָּ
above all peoples,	מִכָּל הָעַמִּים,
and Your holy Sabbath	וְשַׁבַּת קָדְשְׁךָ
with love and favor	בְּאַהֲבָה וּבְרָצוֹן
You have bequeathed to us.	הִנְחַלְתָּנוּ.
Blessed (praised) be You, O Lord,	בָּרוּךְ אַתָּה אֲדֹנָי
Who makes holy the Sabbath.	מְקַדֵּשׁ הַשַּׁבָּת.

SHEMA

שְׁמַע יִשְׂרָאֵל יְיָ אֱלֹהֵינוּ יְיָ אֶחָד:
בָּרוּךְ שֵׁם כְּבוֹד מַלְכוּתוֹ לְעוֹלָם וָעֶד:
וְאָהַבְתָּ אֵת יְיָ אֱלֹהֶיךָ בְּכָל לְבָבְךָ וּבְכָל
נַפְשְׁךָ וּבְכָל מְאֹדֶךָ:

128